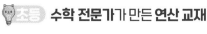

3

5학년

분모가 다른 분수의 덧셈과 뺄셈

지은이의 말

수학은 원리로부터

수학은 구체물의 관계를 숫자와 기호의 약속으로 나타내는 추상적인 학문입니다. 이 점이 아이들이 수학을 어려워하는 가장 큰 이유입니다. 이러한 수학은 제대로 된 이해를 동반할 때 비로소 힘을 발휘할 수 있습니다. 수학은 어느 단계에서나 원리가 가장 중요합니다.

수학 교육의 변화

답을 내는 방법만 알아도 되는 수학 교육의 시대는 지나고 있습니다. 연산도 한 가지 방법만 반복 연습하기 보다 다양한 풀이 방법이 중요합니다. 교과서는 왜 그렇게 해야 하는지 가르쳐 주고 다양한 방법을 생각하도록 하지만, 학생들은 단순하게 반복되는 연습에 원리는 잊어버리고 기계적으로 답을 내다보니 응용된 내용의 이해가 부족합니다.

연산 학습은 꾸준히

유초등 학습 단계에 따라 4권~6권의 구성으로 매일 10분씩 꾸준히 공부할 수 있습니다. 원리와 다양한 방법의 학습은 그림과 함께 재미있게, 연습은 다양하게 진행하되 마무리는 집중하여 진행하도록 했습니다. 부담 없는 하루 학습량으로 꾸준히 공부하다 보면 어느새 연산 실력이 부쩍 늘어난 것을 알 수 있습니다.

개정판 원리셈은

동영상 강의 확대/초등 고학년 원리 학습 과정 강화 등으로 교과 과정을 완벽하게 대비할 수 있도록 원리와 개념, 계산 방법을 학습합니다. 단계별 원리 학습은 물론이고 연습도 강화했습니다.

학부모님들의 연산 학습에 대한 고민이 원리셈으로 해결되었으면 하는 바람입니다.

지은이 *천종현*

원리셈의 특징

☑ **원리셈의 학습 구성**

한 권의 책은 매일 10분 / 매주 5일 / 6주 학습

☑ **원리셈의 시나브로 강해지는 학습 알고리즘**

초등 원리셈은

시작은 원리의 이해로부터, 마무리는 충분한 연습과 성취도 확인까지

☑ **체계적인 학습 구성**

쉽게 이해하고 스스로 공부!
실수가 많은 부분은 별도로 확인하고 연습!
주제에 따라 실전을 위한 확장적 사고가 필요한 내용까지!
원리로 시작되는 단계별 학습으로 곱셈구구마저 저절로 외워진다고 느끼도록!

원리셈 전체 단계

 키즈 원리셈

5·6세		6·7세		7·8세	
1권	5까지의 수	1권	10까지의 더하기 빼기 1	1권	7까지의 모으기와 가르기
2권	10까지의 수	2권	10까지의 더하기 빼기 2	2권	9까지의 모으기와 가르기
3권	10까지의 수 세어 쓰기	3권	10까지의 더하기 빼기 3	3권	덧셈과 뺄셈
4권	모아 세기	4권	20까지의 더하기 빼기 1	4권	10 가르기와 모으기
5권	빼어 세기	5권	20까지의 더하기 빼기 2	5권	10 만들어 더하기
6권	크기 비교와 여러 가지 세기	6권	20까지의 더하기 빼기 3	6권	10 만들어 빼기

 초등 원리셈

1학년		2학년		3학년	
1권	받아올림/내림 없는 두 자리 수 덧셈, 뺄셈	1권	두 자리 수 덧셈	1권	세 자리 수의 덧셈과 뺄셈
2권	덧셈구구	2권	두 자리 수 뺄셈	2권	(두/세 자리 수)×(한 자리 수)
3권	뺄셈구구	3권	세 수의 덧셈과 뺄셈	3권	(두/세 자리 수)×(두 자리 수)
4권	□ 구하기	4권	곱셈	4권	(두/세 자리 수)÷(한 자리 수)
5권	세 수의 덧셈과 뺄셈	5권	곱셈구구	5권	곱셈과 나눗셈의 관계
6권	(두 자리 수)±(한 자리 수)	6권	나눗셈	6권	분수

4학년		5학년		6학년	
1권	큰 수의 곱셈	1권	혼합 계산	1권	분수의 나눗셈
2권	큰 수의 나눗셈	2권	약수와 배수	2권	소수의 나눗셈
3권	분모가 같은 분수의 덧셈과 뺄셈	3권	분모가 다른 분수의 덧셈과 뺄셈	3권	비와 비율
4권	소수의 덧셈과 뺄셈	4권	분수와 소수의 곱셈	4권	비례식과 비례배분

초등 원리셈의 단계별 학습 목표

원리와 연습을 모두 잡는 원리셈!!

학년별 학습 목표와 다른 책에서는 만나기 힘든 특별한 내용을 확인해 보세요.

◉ 1학년 원리셈

모든 연산 과정 중 실수가 가장 많은 덧셈, 뺄셈의 집중 연습

여러 가지 계산 방법 알기

덧셈, 뺄셈의 관계를 이용한 '□ 구하기'의 이해

◉ 2학년 원리셈

두 자리 덧셈, 뺄셈의 여러 가지 계산 방법의 숙지와 이해

곱셈 개념을 폭넓게 이해하고, 곱셈구구를 힘들지 않게 외울 수 있는 구성

나눗셈은 3학년 교과의 내용이지만 곱셈구구를 외우는 것을 도우면서 곱셈구구의 범위에서 개념 위주 학습

◉ 3학년 원리셈

기본 연산은 정확한 이해와 충분한 연습

곱셈, 나눗셈의 관계를 이용한 '□ 구하기'의 이해

분수는 학생들이 어려워 하는 부분을 중점적으로 이해하고, 연습하도록 구성

◉ 4학년 원리셈

작은 수의 곱셈, 나눗셈 방법을 확장하여 이해하는 큰 수의 곱셈, 나눗셈

교과서에는 나오지 않는 실전적 연산을 포함

많이 틀리는 내용은 별도 집중학습

◉ 5학년 원리셈

연산은 개념과 유형에 따라 단계적으로 학습 후 충분한 연습

약수와 배수는 기본기를 단단하게 할 수 있는 체계적인 구성

◉ 6학년 원리셈

분수와 소수의 나눗셈은 원리를 단순화하여 이해

비의 개념을 확장하여 문장제 문제 등에서 만나는 비례 관계의 이해와 적용

비와 비례식은 중등 수학을 대비하는 의미도 포함. 강추 교재!!

5학년 구성과 특징

1권 자연수의 혼합 계산은 학생들이 어려움을 겪는 주제로, 단계적으로 공부하면서 쉽게 방법을 익힐 수 있도록 했습니다. 약수와 배수, 분수의 덧셈과 뺄셈, 분수와 소수의 곱셈은 원리를 알아보고, 연습은 빠르고, 정확하게 할 수 있도록 충분하게 진행합니다.

원리

원리를 직관적으로 이해하고 쉽게 공부할 수 있도록 하였습니다.

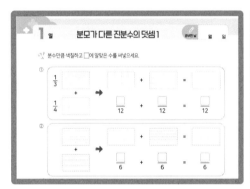 

다양한 계산 방법

다양한 계산 방법을 공부함으로써 수를 다루는 감각을 키우고, 상황에 따라 더 정확하고 빠른 계산을 할 수 있도록 하였습니다.

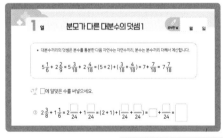 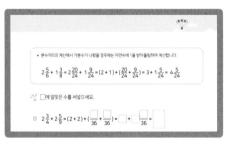

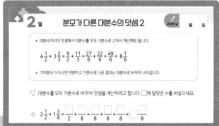

연습

기본 연습 문제를 중심으로 여러 형태의 문제로 지루하지 않게 반복하여 연습할 수 있도록 구성하였습니다.

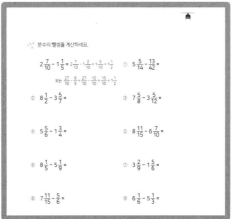

도전! 계산왕

주제가 구분되는 두 개의 단원은 정확성과 빠른 계산을 위한 집중 연습으로 주제를 마무리 합니다.

성취도 평가

개념의 이해와 연산의 수행에 부족한 부분은 없는지 성취도 평가를 통해 확인합니다.

원리샘 100% 활용하기 ✓ 책의 사이사이에 학생의 학습을 돕기 위한 저자의 내용을 잘 이용하세요.

단원의 학습 내용과 방향

한 주차가 시작되는 쪽의 아래에 그 단원의 학습 내용과 어떤 방향으로 공부하는지를 설명해 놓았습니다.
학부모님이나 학생이 단원을 시작하기 전에 가볍게 읽어 보고 공부하도록 해 주세요.

이해를 돕는 저자의 동영상 강의

처음 접하는 원리/개념과 연산 방법의 이해를 돕기 위한 동영상 강의가 있으니 이해가 어려운 내용은 QR코드를
이용하여 편리하게 동영상 강의를 보고, 공부하도록 하세요.

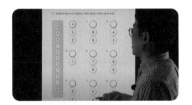

학습 Tip   간략한 도움글은 각 쪽의 아래에 있습니다.

천종현수학연구소 네이버 카페와 홈페이지를 활용하세요.

카페와 홈페이지에는 추가 문제 자료가 있고, 연산 외에서 수학 학습에 어려움을 상담 받을 수 있습니다.

네이버에서 천종현수학연구소를 검색하세요.

· **1** 주차 ·
약분과 통분

분모가 다른 분수의 덧셈과 뺄셈을 원활하게 하기 위해서는 반드시 약분과 통분의 과정을 거쳐야 합니다. 분수의 약분과 통분을 하는 다양한 방법을 연습해 보고 분모가 다른 분수들의 크기를 비교하는 과정에서 분수의 통분에 대한 충분한 연습을 하도록 합니다.

크기가 같은 분수

묶거나 분리해 놓은 개수에 따라 전체에서 색칠된 부분을 분수로 나타낸 것입니다. □에 알맞은 수를 써넣으세요.

①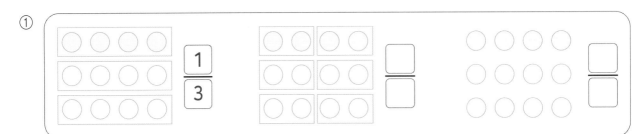

②

③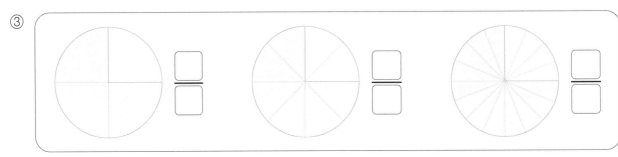

④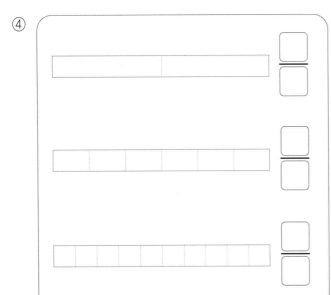

⑤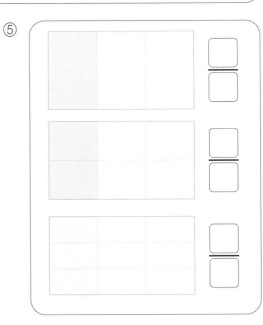

- 분모와 분자에 0이 아닌 같은 수를 곱하면 크기가 같은 분수가 됩니다.

$$\frac{1}{2} = \frac{1 \times 2}{2 \times 2} = \frac{1 \times 3}{2 \times 3} = \frac{1 \times 4}{2 \times 4} = \frac{1 \times 5}{2 \times 5} = \cdots\cdots$$

- 분모와 분자를 0이 아닌 같은 수로 나누면 크기가 같은 분수가 됩니다.

$$\frac{24}{32} = \frac{24 \div 2}{32 \div 2} = \frac{24 \div 4}{32 \div 4} = \frac{24 \div 8}{32 \div 8}$$

☝ □에 알맞은 수를 써넣으세요.

① $\dfrac{3}{5} = \dfrac{3 \times 2}{5 \times 2} = \dfrac{\square}{\square}$

② $\dfrac{12}{16} = \dfrac{12 \div 4}{16 \div 4} = \dfrac{\square}{\square}$

③ $\dfrac{1}{7} = \dfrac{1 \times 3}{7 \times 3} = \dfrac{\square}{\square}$

④ $\dfrac{3}{18} = \dfrac{3 \div 3}{18 \div 3} = \dfrac{\square}{\square}$

⑤ $\dfrac{8}{9} = \dfrac{8 \times 6}{9 \times 6} = \dfrac{\square}{\square}$

⑥ $\dfrac{16}{24} = \dfrac{16 \div 2}{24 \div 2} = \dfrac{\square}{\square}$

⑦ $\dfrac{5}{12} = \dfrac{5 \times 2}{12 \times 2} = \dfrac{\square}{\square}$

⑧ $\dfrac{25}{40} = \dfrac{25 \div 5}{40 \div 5} = \dfrac{\square}{\square}$

Tip

분모와 분자에 반드시 0이 아닌 같은 수를 곱하거나 나누어야 크기가 같은 분수가 됩니다. 분모가 0이 될 수 없기 때문에 분모와 분자에 0을 곱할 수 없고, ÷0 또한 불가능합니다.

① $\dfrac{1}{4} = \dfrac{\boxed{}}{8} = \dfrac{3}{\boxed{}}$

② $\dfrac{36}{48} = \dfrac{\boxed{}}{24} = \dfrac{3}{\boxed{}}$

③ $\dfrac{1}{6} = \dfrac{\boxed{}}{18} = \dfrac{5}{\boxed{}}$

④ $\dfrac{12}{36} = \dfrac{\boxed{}}{18} = \dfrac{4}{\boxed{}}$

⑤ $\dfrac{3}{5} = \dfrac{\boxed{}}{15} = \dfrac{18}{\boxed{}}$

⑥ $\dfrac{54}{72} = \dfrac{\boxed{}}{12} = \dfrac{6}{\boxed{}}$

⑦ $\dfrac{3}{8} = \dfrac{\boxed{}}{40} = \dfrac{18}{\boxed{}}$

⑧ $\dfrac{30}{60} = \dfrac{\boxed{}}{12} = \dfrac{1}{\boxed{}}$

⑨ $\dfrac{7}{10} = \dfrac{\boxed{}}{50} = \dfrac{49}{\boxed{}}$

⑩ $\dfrac{56}{70} = \dfrac{\boxed{}}{10} = \dfrac{4}{\boxed{}}$

⑪ $\dfrac{5}{12} = \dfrac{\boxed{}}{24} = \dfrac{35}{\boxed{}}$

⑫ $\dfrac{75}{100} = \dfrac{\boxed{}}{20} = \dfrac{3}{\boxed{}}$

⑬ $\dfrac{11}{16} = \dfrac{\boxed{}}{48} = \dfrac{55}{\boxed{}}$

⑭ $\dfrac{50}{75} = \dfrac{\boxed{}}{15} = \dfrac{2}{\boxed{}}$

약분

- 분모와 분자를 1을 제외한 그들의 공약수로 나누는 것을 약분한다고 합니다.

$$\frac{8}{12} \quad \text{약분하기} \quad \Rightarrow \quad \frac{8 \div 2}{12 \div 2} = \frac{4}{6}, \quad \frac{8 \div 4}{12 \div 4} = \frac{2}{3}$$

- $\frac{2}{3}$와 같이 분모와 분자의 공약수가 1뿐이어서 더 이상 약분할 수 없는 분수를 기약분수라고 합니다.

기약분수에 모두 ◯표 하세요.

$\frac{1}{8}$	$\frac{8}{12}$	$\frac{11}{15}$	$\frac{4}{19}$	$\frac{9}{24}$

$\frac{4}{6}$	$\frac{7}{10}$	$\frac{6}{15}$	$\frac{18}{32}$	$\frac{49}{56}$

$\frac{3}{7}$	$\frac{9}{14}$	$\frac{16}{27}$	$\frac{9}{35}$	$\frac{17}{60}$

$\frac{1}{9}$	$\frac{2}{14}$	$\frac{11}{22}$	$\frac{13}{16}$	$\frac{39}{91}$

$\frac{3}{9}$	$\frac{4}{12}$	$\frac{5}{20}$	$\frac{14}{61}$	$\frac{17}{51}$

🍋 기약분수가 될 때까지 약분하세요.

$$\frac{\overset{6}{\overset{3}{\cancel{\cancel{\cancel{12}}}}}}{\underset{18}{\underset{9}{\cancel{\cancel{\cancel{36}}}}}} = \frac{\overset{3}{\cancel{6}}}{\underset{9}{\cancel{18}}} = \frac{\overset{1}{\cancel{3}}}{\underset{3}{\cancel{9}}} = \frac{1}{3}$$

① $\dfrac{8}{12} =$

② $\dfrac{6}{8} =$

③ $\dfrac{10}{50} =$

④ $\dfrac{36}{48} =$

⑤ $\dfrac{24}{72} =$

⑥ $\dfrac{60}{80} =$

⑦ $\dfrac{64}{72} =$

⑧ $\dfrac{50}{64} =$

⑨ $\dfrac{42}{84} =$

⑩ $\dfrac{48}{72} =$

⑪ $\dfrac{25}{100} =$

⑫ $\dfrac{16}{144} =$

⑬ $\dfrac{18}{54} =$

Tip 처음부터 무조건 작은 수로 나누지 않아도 됩니다. 다만, 약분을 한 후 기약분수가 아니면 기약분수가 될 때까지 계속 약분합니다.

분모와 분자의 최대공약수로 약분하여 기약분수로 나타내세요.

$$\frac{\cancel{45}^{3}}{\cancel{60}_{4}} = \frac{3}{4}$$

45와 60의 최대공약수 : 15

① $\frac{16}{40} =$

② $\frac{45}{63} =$

③ $\frac{18}{54} =$

④ $\frac{24}{48} =$

⑤ $\frac{10}{60} =$

⑥ $\frac{40}{72} =$

⑦ $\frac{33}{88} =$

⑧ $\frac{36}{64} =$

⑨ $\frac{60}{80} =$

⑩ $\frac{25}{65} =$

⑪ $\frac{21}{63} =$

⑫ $\frac{48}{94} =$

⑬ $\frac{54}{72} =$

⑭ $\frac{18}{78} =$

⑮ $\frac{56}{112} =$

⑯ $\frac{44}{121} =$

⑰ $\frac{105}{135} =$

⑱ $\frac{75}{100} =$

⑲ $\frac{72}{144} =$

⑳ $\frac{40}{120} =$

Tip
최대공약수로 분모, 분자를 나누면 한 번에 기약분수로 나타낼 수 있습니다.

통분

동영상 해설

- 분수의 분모를 같게 하는 것을 통분한다고 하며 통분한 분모를 공통분모라고 합니다.

$$\frac{1}{2} = \frac{2}{4} = \frac{3}{6} = \frac{4}{8} = \frac{5}{10} = \frac{6}{12} = \frac{7}{14} = \frac{8}{16} = \frac{9}{18} = \cdots\cdots$$

$$\frac{2}{3} = \frac{4}{6} = \frac{6}{9} = \frac{8}{12} = \frac{10}{15} = \frac{12}{18} = \cdots\cdots$$

- $\frac{1}{2}$ 과 $\frac{2}{3}$ 를 분모가 같은 분수끼리 짝지어 통분하면

$$\left(\frac{3}{6}, \frac{4}{6} \right), \left(\frac{6}{12}, \frac{8}{12} \right), \left(\frac{9}{18}, \frac{12}{18} \right), \cdots\cdots \text{ 이 됩니다.}$$

두 분수를 통분할 때, □에 알맞은 수를 써넣으세요.

① $\left(\frac{1}{6}, \frac{5}{8} \right)$ ➡ $\left(\frac{\square}{24}, \frac{\square}{24} \right)$

② $\left(\frac{4}{7}, \frac{3}{14} \right)$ ➡ $\left(\frac{\square}{28}, \frac{\square}{28} \right)$

③ $\left(\frac{3}{10}, \frac{11}{15} \right)$ ➡ $\left(\frac{\square}{60}, \frac{\square}{60} \right)$

④ $\left(\frac{8}{9}, \frac{5}{6} \right)$ ➡ $\left(\frac{\square}{18}, \frac{\square}{18} \right)$

⑤ $\left(\frac{1}{12}, \frac{7}{8} \right)$ ➡ $\left(\frac{\square}{72}, \frac{\square}{72} \right)$

⑥ $\left(\frac{7}{15}, \frac{13}{20} \right)$ ➡ $\left(\frac{\square}{60}, \frac{\square}{60} \right)$

Tip

두 분모의 공배수를 공통분모로 하여 통분할 수 있습니다.

두 분모의 곱을 공통분모로 하여 통분하세요.

① $\left(\dfrac{3}{4},\ \dfrac{1}{6}\right)$ ➡ (,   )   ② $\left(\dfrac{5}{8},\ \dfrac{1}{2}\right)$ ➡ (,   )

③ $\left(\dfrac{5}{7},\ \dfrac{2}{5}\right)$ ➡ (,   )   ④ $\left(\dfrac{1}{6},\ \dfrac{8}{9}\right)$ ➡ (,   )

⑤ $\left(\dfrac{5}{8},\ \dfrac{3}{4}\right)$ ➡ (,   )   ⑥ $\left(\dfrac{1}{2},\ \dfrac{7}{10}\right)$ ➡ (,   )

⑦ $\left(\dfrac{5}{6},\ \dfrac{8}{15}\right)$ ➡ (,   )   ⑧ $\left(\dfrac{6}{8},\ \dfrac{2}{3}\right)$ ➡ (,   )

⑨ $\left(\dfrac{11}{12},\ \dfrac{4}{5}\right)$ ➡ (,   )   ⑩ $\left(\dfrac{4}{9},\ \dfrac{1}{3}\right)$ ➡ (,   )

⑪ $\left(\dfrac{1}{10},\ \dfrac{13}{15}\right)$ ➡ (,   )   ⑫ $\left(\dfrac{4}{9},\ \dfrac{7}{15}\right)$ ➡ (,   )

⑬ $\left(\dfrac{5}{12},\ \dfrac{3}{16}\right)$ ➡ (,   )   ⑭ $\left(\dfrac{9}{14},\ \dfrac{9}{10}\right)$ ➡ (,   )

T ip

분모의 곱을 공통분모로 하여 통분하면 계산은 간편하나 분모와 분자의 수가 커집니다.

두 분모의 최소공배수를 공통분모로 하여 통분하세요.

① $\left(\dfrac{1}{6},\ \dfrac{1}{2}\right)$ ➡ (,   )　　② $\left(\dfrac{3}{8},\ \dfrac{9}{10}\right)$ ➡ (,   )

③ $\left(\dfrac{4}{9},\ \dfrac{5}{12}\right)$ ➡ (,   )　　④ $\left(\dfrac{2}{5},\ \dfrac{3}{7}\right)$ ➡ (,   )

⑤ $\left(\dfrac{3}{4},\ \dfrac{3}{16}\right)$ ➡ (,   )　　⑥ $\left(\dfrac{11}{20},\ \dfrac{7}{12}\right)$ ➡ (,   )

⑦ $\left(\dfrac{1}{6},\ \dfrac{8}{15}\right)$ ➡ (,   )　　⑧ $\left(\dfrac{3}{4},\ \dfrac{3}{10}\right)$ ➡ (,   )

⑨ $\left(\dfrac{6}{15},\ \dfrac{17}{30}\right)$ ➡ (,   )　　⑩ $\left(\dfrac{1}{8},\ \dfrac{9}{14}\right)$ ➡ (,   )

⑪ $\left(\dfrac{11}{12},\ \dfrac{13}{36}\right)$ ➡ (,   )　　⑫ $\left(\dfrac{1}{7},\ \dfrac{7}{9}\right)$ ➡ (,   )

⑬ $\left(\dfrac{3}{10},\ \dfrac{5}{6}\right)$ ➡ (,   )　　⑭ $\left(\dfrac{17}{20},\ \dfrac{5}{8}\right)$ ➡ (,   )

Tip

분모의 최소공배수를 공통분모로 하여 통분하면 분모와 분자의 수가 간단해 집니다.

◇ 안의 분수와 크기가 같은 분수를 찾아 모두 ◯표 하세요.

$\dfrac{4}{8}$	$\dfrac{1}{2}$	$\dfrac{8}{16}$	$\dfrac{16}{40}$	$\dfrac{30}{80}$	$\dfrac{60}{120}$
$\dfrac{15}{18}$	$\dfrac{2}{3}$	$\dfrac{5}{6}$	$\dfrac{30}{48}$	$\dfrac{45}{54}$	$\dfrac{50}{72}$
$\dfrac{20}{24}$	$\dfrac{5}{6}$	$\dfrac{6}{10}$	$\dfrac{10}{12}$	$\dfrac{65}{75}$	$\dfrac{100}{120}$
$\dfrac{10}{15}$	$\dfrac{1}{2}$	$\dfrac{2}{3}$	$\dfrac{20}{30}$	$\dfrac{60}{90}$	$\dfrac{120}{150}$
$\dfrac{5}{35}$	$\dfrac{1}{5}$	$\dfrac{1}{7}$	$\dfrac{12}{70}$	$\dfrac{15}{100}$	$\dfrac{20}{140}$
$\dfrac{24}{80}$	$\dfrac{3}{10}$	$\dfrac{12}{30}$	$\dfrac{12}{40}$	$\dfrac{46}{160}$	$\dfrac{124}{180}$
$\dfrac{25}{60}$	$\dfrac{3}{4}$	$\dfrac{16}{30}$	$\dfrac{5}{12}$	$\dfrac{100}{180}$	$\dfrac{60}{120}$

 두 분수를 통분한 것입니다. 이때 □에 ★과 ♥의 값을 각각 써넣으세요.

① $\left(\dfrac{3}{\bigstar} , \dfrac{7}{12} \right)$ ➡ $\left(\dfrac{9}{24} , \dfrac{\heartsuit}{24} \right)$

★ = ☐   ♥ = ☐

② $\left(\dfrac{1}{6} , \dfrac{4}{\bigstar} \right)$ ➡ $\left(\dfrac{\heartsuit}{30} , \dfrac{8}{30} \right)$

★ = ☐   ♥ = ☐

③ $\left(\dfrac{\bigstar}{5} , \dfrac{9}{10} \right)$ ➡ $\left(\dfrac{8}{10} , \dfrac{\heartsuit}{10} \right)$

★ = ☐   ♥ = ☐

④ $\left(\dfrac{4}{\bigstar} , \dfrac{11}{24} \right)$ ➡ $\left(\dfrac{12}{48} , \dfrac{\heartsuit}{48} \right)$

★ = ☐   ♥ = ☐

⑤ $\left(\dfrac{1}{12} , \dfrac{\bigstar}{15} \right)$ ➡ $\left(\dfrac{\heartsuit}{60} , \dfrac{28}{60} \right)$

★ = ☐   ♥ = ☐

⑥ $\left(\dfrac{\bigstar}{9} , \dfrac{5}{6} \right)$ ➡ $\left(\dfrac{16}{18} , \dfrac{\heartsuit}{18} \right)$

★ = ☐   ♥ = ☐

⑦ $\left(\dfrac{3}{10} , \dfrac{3}{\bigstar} \right)$ ➡ $\left(\dfrac{\heartsuit}{20} , \dfrac{15}{20} \right)$

★ = ☐   ♥ = ☐

⑧ $\left(\dfrac{5}{8} , \dfrac{\bigstar}{9} \right)$ ➡ $\left(\dfrac{\heartsuit}{72} , \dfrac{64}{72} \right)$

★ = ☐   ♥ = ☐

조건을 만족하는 분수를 모두 쓰세요.

① 분모가 40보다 크고 50보다 작은 분수 중에서 $\dfrac{3}{7}$과 크기가 같은 분수

_____

② 분모가 60보다 크고 90보다 작은 분수 중에서 $\dfrac{5}{9}$와 크기가 같은 분수

_____

③ 분모가 30보다 크고 40보다 작은 분수 중에서 $\dfrac{1}{3}$과 크기가 같은 분수

_____

④ 분모가 50보다 크고 60보다 작은 분수 중에서 $\dfrac{1}{2}$과 크기가 같은 분수

_____

⑤ 분모가 20보다 크고 60보다 작은 분수 중에서 $\dfrac{7}{15}$과 크기가 같은 분수

_____

분수의 크기 비교

- 분모가 다른 두 분수의 크기를 비교할 때에는 통분하여 분모를 같게 한 다음 분자의 크기를 비교합니다.

$$\left(\frac{2}{5}, \frac{7}{15}\right) \Rightarrow \left(\frac{6}{15} < \frac{7}{15}\right) \Rightarrow \frac{2}{5} < \frac{7}{15}$$

두 분수의 크기를 비교하여 ◯ 안에 ＞, ＝, ＜ 를 알맞게 써넣으세요.

① $\frac{5}{8}$ ◯ $\frac{4}{9}$ $\frac{45}{72} > \frac{32}{72}$

② $\frac{3}{7}$ ◯ $\frac{8}{21}$

③ $\frac{5}{6}$ ◯ $\frac{7}{8}$

④ $\frac{17}{20}$ ◯ $\frac{9}{10}$

⑤ $\frac{7}{9}$ ◯ $\frac{7}{12}$

⑥ $\frac{13}{15}$ ◯ $\frac{17}{20}$

⑦ $\frac{13}{18}$ ◯ $\frac{11}{20}$

⑧ $\frac{7}{12}$ ◯ $\frac{5}{6}$

⑨ $\frac{39}{72}$ ◯ $\frac{19}{36}$

⑩ $\frac{7}{16}$ ◯ $\frac{5}{12}$

⑪ $\frac{4}{15}$ ◯ $\frac{11}{30}$

⑫ $\frac{5}{12}$ ◯ $\frac{4}{15}$

⑬ $\frac{23}{24}$ ◯ $\frac{47}{48}$

⑭ $\frac{11}{16}$ ◯ $\frac{27}{40}$

⑮ $\frac{23}{30}$ ◯ $\frac{13}{15}$

• 분자의 두 수가 분모의 두 수보다 같게 만들기 더 쉬운 경우 분자를 같게 한 다음 크기를 비교합니다.

$$\left(\frac{1}{14}, \frac{2}{15}\right) \Rightarrow \left(\frac{2}{28} < \frac{2}{15}\right) \Rightarrow \frac{1}{14} < \frac{2}{15}$$

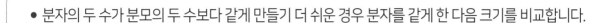 두 분수의 크기를 비교하여 ◯ 안에 >, =, < 를 알맞게 써넣으세요.

① $\frac{2}{5}$ ◯ $\frac{1}{3}$ $\frac{2}{5} > \frac{2}{6}$ ② $\frac{8}{17}$ ◯ $\frac{4}{7}$ ③ $\frac{1}{5}$ ◯ $\frac{3}{16}$

④ $\frac{2}{19}$ ◯ $\frac{4}{37}$ ⑤ $\frac{6}{47}$ ◯ $\frac{1}{8}$ ⑥ $\frac{8}{19}$ ◯ $\frac{4}{9}$

⑦ $\frac{2}{13}$ ◯ $\frac{1}{6}$ ⑧ $\frac{1}{25}$ ◯ $\frac{3}{75}$ ⑨ $\frac{6}{31}$ ◯ $\frac{3}{14}$

⑩ $\frac{8}{19}$ ◯ $\frac{2}{5}$ ⑪ $\frac{10}{31}$ ◯ $\frac{5}{16}$ ⑫ $\frac{1}{5}$ ◯ $\frac{2}{11}$

⑬ $\frac{3}{19}$ ◯ $\frac{1}{6}$ ⑭ $\frac{2}{81}$ ◯ $\frac{1}{39}$ ⑮ $\frac{3}{28}$ ◯ $\frac{6}{47}$

Tip
분자의 두 수가 같은 경우 분모가 작을수록 더 큰 수입니다.

- 두 분수의 크기만 비교할 경우에는 분모의 곱을 공통분모로 통분한다고 생각하고, 분자의 크기만 비교하면 분수의 크기를 쉽게 비교할 수 있습니다.

통분된 분자의 크기만 비교

$8 \times 11 = 88$ $>$ $12 \times 7 = 84$

$(\dfrac{11}{12} , \dfrac{7}{8})$ $(\dfrac{11}{12} \diagdown \diagup \dfrac{7}{8})$ $(\dfrac{11}{12} > \dfrac{7}{8})$

🐛 두 분수의 크기를 비교하여 더 큰 분수에 ◯표 하세요.

| $\dfrac{7}{8}$ | $\dfrac{8}{9}$ | | $\dfrac{3}{8}$ | $\dfrac{2}{7}$ | | $\dfrac{4}{11}$ | $\dfrac{3}{7}$ |

| $\dfrac{4}{5}$ | $\dfrac{7}{10}$ | | $\dfrac{7}{9}$ | $\dfrac{2}{3}$ | | $\dfrac{1}{2}$ | $\dfrac{8}{15}$ |

| $\dfrac{5}{12}$ | $\dfrac{2}{5}$ | | $\dfrac{9}{20}$ | $\dfrac{5}{8}$ | | $\dfrac{2}{9}$ | $\dfrac{3}{14}$ |

| $\dfrac{1}{2}$ | $\dfrac{13}{25}$ | | $\dfrac{7}{17}$ | $\dfrac{4}{9}$ | | $\dfrac{3}{11}$ | $\dfrac{5}{18}$ |

• **2**주차 •

분모가 다른 진분수의 덧셈과 뺄셈

분모가 다른 분수의 계산은 통분으로 두 분수의 분모를 같게 하는 과정이 가장 중요합니다. 통분은 분모의 곱이나 최소공배수를 공통분모로 하게 되는데 각각 장단점이 있기 때문에 두 방법 모두 연습하도록 했습니다. 항상 마지막 답은 기약분수와 대분수로 나타내도록 합니다.

분모가 다른 진분수의 덧셈 1

동영상 해설

🔖 분수만큼 색칠하고 ☐에 알맞은 수를 써넣으세요.

①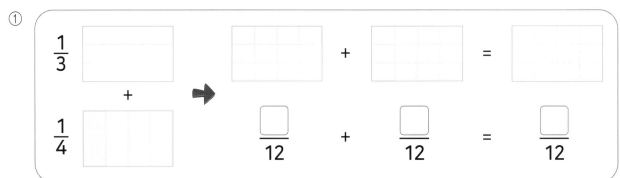

$$\frac{1}{3} + \frac{1}{4}$$

$$\frac{\square}{12} + \frac{\square}{12} = \frac{\square}{12}$$

②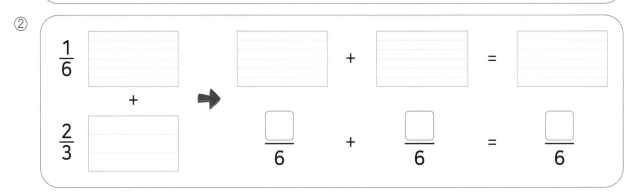

$$\frac{1}{6} + \frac{2}{3}$$

$$\frac{\square}{6} + \frac{\square}{6} = \frac{\square}{6}$$

③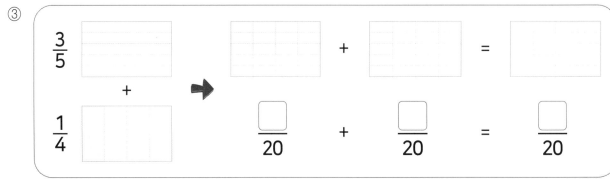

$$\frac{3}{5} + \frac{1}{4}$$

$$\frac{\square}{20} + \frac{\square}{20} = \frac{\square}{20}$$

④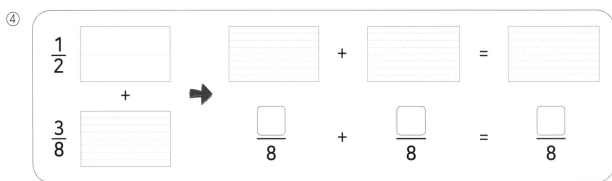

$$\frac{1}{2} + \frac{3}{8}$$

$$\frac{\square}{8} + \frac{\square}{8} = \frac{\square}{8}$$

- 두 분모의 곱으로 통분한 후 분수의 덧셈을 할 수 있습니다.

$$\frac{3}{4} + \frac{5}{6} = \frac{3 \times 6}{4 \times 6} + \frac{5 \times 4}{6 \times 4} = \frac{18}{24} + \frac{20}{24} = \frac{\overset{19}{\cancel{38}}}{\underset{12}{\cancel{24}}} = \frac{19}{12} = 1\frac{7}{12}$$

- 계산 결과가 기약분수가 아닌 경우 기약분수가 되도록 약분하고 가분수는 대분수로 바꿔서 나타냅니다.

두 분모의 곱으로 통분한 후 분수의 덧셈을 계산하려고 합니다. ☐에 알맞은 수를 써넣으세요.

① $\dfrac{1}{2} + \dfrac{1}{3} = \dfrac{1 \times \boxed{}}{2 \times 3} + \dfrac{1 \times \boxed{}}{3 \times 2} = \dfrac{\boxed{}}{6} + \dfrac{\boxed{}}{6} = \dfrac{\boxed{}}{6}$

② $\dfrac{7}{10} + \dfrac{2}{3} = \dfrac{7 \times \boxed{}}{10 \times 3} + \dfrac{2 \times \boxed{}}{3 \times 10} = \dfrac{\boxed{}}{30} + \dfrac{\boxed{}}{30} = \dfrac{\boxed{}}{30} = \boxed{}\dfrac{\boxed{}}{30}$

③ $\dfrac{2}{5} + \dfrac{1}{4} = \dfrac{2 \times \boxed{}}{5 \times \boxed{}} + \dfrac{1 \times \boxed{}}{4 \times \boxed{}} = \dfrac{\boxed{}}{\boxed{}} + \dfrac{\boxed{}}{\boxed{}} = \dfrac{\boxed{}}{\boxed{}}$

④ $\dfrac{1}{6} + \dfrac{7}{8} = \dfrac{1 \times \boxed{}}{6 \times \boxed{}} + \dfrac{7 \times \boxed{}}{8 \times \boxed{}} = \dfrac{\boxed{}}{\boxed{}} + \dfrac{\boxed{}}{\boxed{}} = \dfrac{\boxed{}}{\boxed{}} = \dfrac{\boxed{}}{\boxed{}} = \boxed{}\dfrac{\boxed{}}{\boxed{}}$

Tip

두 분모의 곱을 이용하여 통분하면 공통분모를 구하기는 편리하나 분자끼리의 덧셈을 할 때 수가 커집니다.

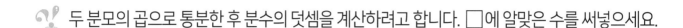 두 분모의 곱으로 통분한 후 분수의 덧셈을 계산하려고 합니다. ☐에 알맞은 수를 써넣으세요.

① $\dfrac{3}{8} + \dfrac{3}{5} = \dfrac{3 \times \boxed{}}{8 \times \boxed{}} + \dfrac{3 \times \boxed{}}{5 \times \boxed{}} = \dfrac{\boxed{}}{\boxed{}} + \dfrac{\boxed{}}{\boxed{}} = \dfrac{\boxed{}}{\boxed{}}$

② $\dfrac{2}{7} + \dfrac{1}{3} = \dfrac{2 \times \boxed{}}{7 \times \boxed{}} + \dfrac{1 \times \boxed{}}{3 \times \boxed{}} = \dfrac{\boxed{}}{\boxed{}} + \dfrac{\boxed{}}{\boxed{}} = \dfrac{\boxed{}}{\boxed{}}$

③ $\dfrac{4}{5} + \dfrac{1}{2} = \dfrac{4 \times \boxed{}}{5 \times \boxed{}} + \dfrac{1 \times \boxed{}}{2 \times \boxed{}} = \dfrac{\boxed{}}{\boxed{}} + \dfrac{\boxed{}}{\boxed{}} = \dfrac{\boxed{}}{\boxed{}} = \boxed{}\dfrac{\boxed{}}{\boxed{}}$

④ $\dfrac{4}{9} + \dfrac{3}{4} = \dfrac{4 \times \boxed{}}{9 \times \boxed{}} + \dfrac{3 \times \boxed{}}{4 \times \boxed{}} = \dfrac{\boxed{}}{\boxed{}} + \dfrac{\boxed{}}{\boxed{}} = \dfrac{\boxed{}}{\boxed{}} = \boxed{}\dfrac{\boxed{}}{\boxed{}}$

⑤ $\dfrac{7}{9} + \dfrac{1}{3} = \dfrac{7 \times \boxed{}}{9 \times \boxed{}} + \dfrac{1 \times \boxed{}}{3 \times \boxed{}} = \dfrac{\boxed{}}{\boxed{}} + \dfrac{\boxed{}}{\boxed{}} = \dfrac{\boxed{}}{\boxed{}} = \dfrac{\boxed{}}{\boxed{}} = \boxed{}\dfrac{\boxed{}}{\boxed{}}$

⑥ $\dfrac{11}{12} + \dfrac{2}{3} = \dfrac{11 \times \boxed{}}{12 \times \boxed{}} + \dfrac{2 \times \boxed{}}{3 \times \boxed{}} = \dfrac{\boxed{}}{\boxed{}} + \dfrac{\boxed{}}{\boxed{}} = \dfrac{\boxed{}}{\boxed{}} = \dfrac{\boxed{}}{\boxed{}} = \boxed{}\dfrac{\boxed{}}{\boxed{}}$

⑦ $\dfrac{5}{12} + \dfrac{5}{6} = \dfrac{5 \times \boxed{}}{12 \times \boxed{}} + \dfrac{5 \times \boxed{}}{6 \times \boxed{}} = \dfrac{\boxed{}}{\boxed{}} + \dfrac{\boxed{}}{\boxed{}} = \dfrac{\boxed{}}{\boxed{}} = \dfrac{\boxed{}}{\boxed{}} = \boxed{}\dfrac{\boxed{}}{\boxed{}}$

분수의 덧셈을 계산하세요.

$$\frac{1}{9} + \frac{1}{8} = \frac{8}{72} + \frac{9}{72} = \frac{17}{72}$$

① $\frac{3}{4} + \frac{1}{2} =$

② $\frac{5}{6} + \frac{7}{10} =$

③ $\frac{1}{3} + \frac{2}{7} =$

④ $\frac{2}{5} + \frac{1}{2} =$

⑤ $\frac{3}{8} + \frac{10}{11} =$

⑥ $\frac{5}{7} + \frac{1}{5} =$

⑦ $\frac{9}{10} + \frac{3}{4} =$

⑧ $\frac{1}{6} + \frac{9}{20} =$

⑨ $\frac{5}{12} + \frac{4}{9} =$

⑩ $\frac{8}{11} + \frac{1}{2} =$

⑪ $\frac{2}{15} + \frac{1}{10} =$

⑫ $\frac{11}{12} + \frac{4}{15} =$

⑬ $\frac{1}{8} + \frac{17}{20} =$

분모가 다른 진분수의 덧셈 2

- 두 분모의 최소공배수로 통분하여 분수의 덧셈을 할 수 있습니다.

$$\frac{7}{8} + \frac{1}{2} = \frac{7}{8} + \frac{1 \times 4}{2 \times 4} = \frac{7}{8} + \frac{4}{8} = \frac{11}{8} = 1\frac{3}{8}$$

8과 2의 최소공배수 : 8

- 계산 결과가 기약분수가 아닌 경우 기약분수가 되도록 약분하고 가분수는 대분수로 바꿔서 나타냅니다.

두 분모의 최소공배수로 통분하여 덧셈을 계산하려고 합니다. □에 알맞은 수를 써넣으세요.

① $\frac{1}{6} + \frac{2}{3} = \frac{1}{6} + \frac{2 \times \square}{3 \times 2} = \frac{1}{6} + \frac{\square}{6} = \frac{\square}{6}$

② $\frac{7}{9} + \frac{5}{12} = \frac{7 \times \square}{9 \times 4} + \frac{5 \times \square}{12 \times 3} = \frac{\square}{36} + \frac{\square}{36} = \frac{\square}{36} = \square\frac{\square}{36}$

③ $\frac{3}{8} + \frac{13}{20} = \frac{3 \times \square}{8 \times \square} + \frac{13 \times \square}{20 \times \square} = \frac{\square}{\square} + \frac{\square}{\square} = \frac{\square}{\square} = \square\frac{\square}{\square}$

④ $\frac{3}{10} + \frac{3}{4} = \frac{3 \times \square}{10 \times \square} + \frac{3 \times \square}{4 \times \square} = \frac{\square}{\square} + \frac{\square}{\square} = \frac{\square}{\square} = \square\frac{\square}{\square}$

Tip

두 분모의 최소공배수를 이용하려면 최소공배수를 구하는 계산을 해야하지만 분자끼리의 덧셈이 간편해집니다.

두 분모의 최소공배수로 통분하여 덧셈을 계산하려고 합니다. □에 알맞은 수를 써넣으세요.

① $\dfrac{1}{9} + \dfrac{1}{6} = \dfrac{1 \times \square}{9 \times \square} + \dfrac{1 \times \square}{6 \times \square} = \dfrac{\square}{\square} + \dfrac{\square}{\square} = \dfrac{\square}{\square}$

② $\dfrac{1}{3} + \dfrac{2}{9} = \dfrac{1 \times \square}{3 \times \square} + \dfrac{\square}{\square} = \dfrac{\square}{\square} + \dfrac{\square}{\square} = \dfrac{\square}{\square}$

③ $\dfrac{1}{10} + \dfrac{3}{8} = \dfrac{1 \times \square}{10 \times \square} + \dfrac{3 \times \square}{8 \times \square} = \dfrac{\square}{\square} + \dfrac{\square}{\square} = \dfrac{\square}{\square}$

④ $\dfrac{1}{3} + \dfrac{3}{4} = \dfrac{1 \times \square}{3 \times \square} + \dfrac{3 \times \square}{4 \times \square} = \dfrac{\square}{\square} + \dfrac{\square}{\square} = \dfrac{\square}{\square} = \square\dfrac{\square}{\square}$

⑤ $\dfrac{3}{7} + \dfrac{17}{21} = \dfrac{3 \times \square}{7 \times \square} + \dfrac{\square}{\square} = \dfrac{\square}{\square} + \dfrac{\square}{\square} = \dfrac{\square}{\square} = \square\dfrac{\square}{\square}$

⑥ $\dfrac{7}{10} + \dfrac{8}{15} = \dfrac{7 \times \square}{10 \times \square} + \dfrac{8 \times \square}{15 \times \square} = \dfrac{\square}{\square} + \dfrac{\square}{\square} = \dfrac{\square}{\square} = \square\dfrac{\square}{\square}$

⑦ $\dfrac{13}{24} + \dfrac{15}{16} = \dfrac{13 \times \square}{24 \times \square} + \dfrac{15 \times \square}{16 \times \square} = \dfrac{\square}{\square} + \dfrac{\square}{\square} = \dfrac{\square}{\square} = \square\dfrac{\square}{\square}$

분수의 덧셈을 계산하세요.

$$\frac{5}{6} + \frac{2}{9} = \frac{15}{18} + \frac{4}{18} = \frac{19}{18} = 1\frac{1}{18}$$

① $\dfrac{1}{8} + \dfrac{3}{4} =$

② $\dfrac{6}{7} + \dfrac{1}{5} =$

③ $\dfrac{1}{2} + \dfrac{5}{12} =$

④ $\dfrac{9}{10} + \dfrac{4}{15} =$

⑤ $\dfrac{2}{5} + \dfrac{11}{15} =$

⑥ $\dfrac{5}{7} + \dfrac{7}{8} =$

⑦ $\dfrac{5}{12} + \dfrac{13}{18} =$

⑧ $\dfrac{13}{20} + \dfrac{11}{30} =$

⑨ $\dfrac{8}{11} + \dfrac{2}{3} =$

⑩ $\dfrac{16}{35} + \dfrac{2}{7} =$

⑪ $\dfrac{1}{14} + \dfrac{3}{35} =$

⑫ $\dfrac{15}{26} + \dfrac{31}{39} =$

⑬ $\dfrac{27}{64} + \dfrac{3}{16} =$

분모가 다른 진분수의 뺄셈1

분수만큼 색칠하고 □에 알맞은 수를 써넣으세요.

동영상 해설

①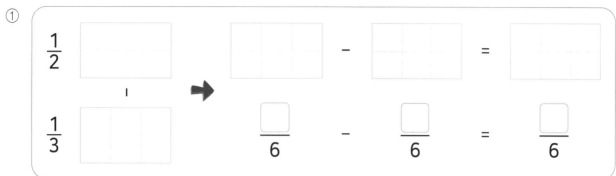

②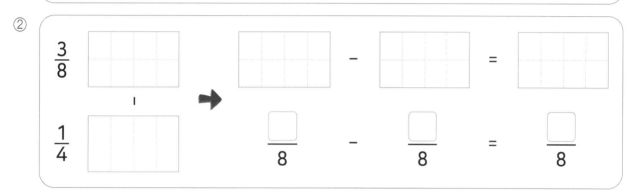

③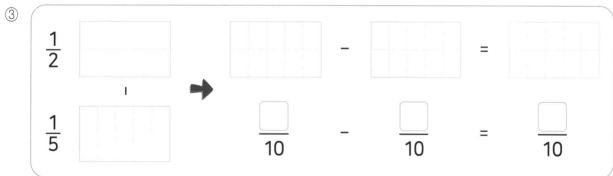

④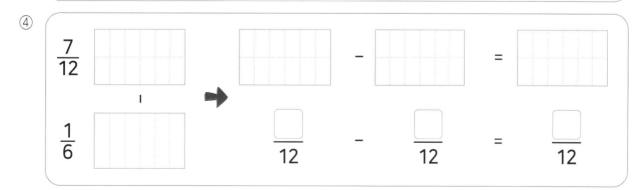

- 두 분모의 곱으로 통분한 후 분수의 뺄셈을 할 수 있습니다.

$$\frac{5}{6} - \frac{3}{8} = \frac{5 \times 8}{6 \times 8} - \frac{3 \times 6}{8 \times 6} = \frac{40}{48} - \frac{18}{48} = \frac{\overset{11}{\cancel{22}}}{\underset{24}{\cancel{48}}} = \frac{11}{24}$$

- 계산 결과가 기약분수가 아닌 경우 기약분수가 되도록 약분해서 나타냅니다.

 두 분모의 곱으로 통분한 후 분수의 뺄셈을 계산하려고 합니다. ☐에 알맞은 수를 써넣으세요.

① $\dfrac{7}{9} - \dfrac{1}{3} = \dfrac{7 \times \boxed{}}{9 \times 3} - \dfrac{1 \times \boxed{}}{3 \times 9} = \dfrac{\boxed{}}{27} - \dfrac{\boxed{}}{27} = \dfrac{\boxed{}}{27} = \dfrac{\boxed{}}{\boxed{}}$

② $\dfrac{5}{6} - \dfrac{3}{4} = \dfrac{5 \times \boxed{}}{6 \times 4} - \dfrac{3 \times \boxed{}}{4 \times 6} = \dfrac{\boxed{}}{24} - \dfrac{\boxed{}}{24} = \dfrac{\boxed{}}{24} = \dfrac{\boxed{}}{\boxed{}}$

③ $\dfrac{9}{10} - \dfrac{2}{5} = \dfrac{9 \times \boxed{}}{10 \times \boxed{}} - \dfrac{2 \times \boxed{}}{5 \times \boxed{}} = \dfrac{\boxed{}}{\boxed{}} - \dfrac{\boxed{}}{\boxed{}} = \dfrac{\boxed{}}{\boxed{}} = \dfrac{\boxed{}}{\boxed{}}$

④ $\dfrac{11}{12} - \dfrac{1}{4} = \dfrac{11 \times \boxed{}}{12 \times \boxed{}} - \dfrac{1 \times \boxed{}}{4 \times \boxed{}} = \dfrac{\boxed{}}{\boxed{}} - \dfrac{\boxed{}}{\boxed{}} = \dfrac{\boxed{}}{\boxed{}} = \dfrac{\boxed{}}{\boxed{}}$

Tip
두 분모의 곱을 이용하여 통분하면 공통분모를 구하기는 편리하나 분자끼리의 뺄셈을 할 때 수가 커집니다.

두 분모의 곱으로 통분한 후 분수의 뺄셈을 계산하려고 합니다. ☐에 알맞은 수를 써넣으세요.

① $\dfrac{5}{8} - \dfrac{1}{3} = \dfrac{5 \times \boxed{}}{8 \times \boxed{}} - \dfrac{1 \times \boxed{}}{3 \times \boxed{}} = \dfrac{\boxed{}}{\boxed{}} - \dfrac{\boxed{}}{\boxed{}} = \dfrac{\boxed{}}{\boxed{}}$

② $\dfrac{6}{7} - \dfrac{2}{5} = \dfrac{6 \times \boxed{}}{7 \times \boxed{}} - \dfrac{2 \times \boxed{}}{5 \times \boxed{}} = \dfrac{\boxed{}}{\boxed{}} - \dfrac{\boxed{}}{\boxed{}} = \dfrac{\boxed{}}{\boxed{}}$

③ $\dfrac{9}{13} - \dfrac{3}{7} = \dfrac{9 \times \boxed{}}{13 \times \boxed{}} - \dfrac{3 \times \boxed{}}{7 \times \boxed{}} = \dfrac{\boxed{}}{\boxed{}} - \dfrac{\boxed{}}{\boxed{}} = \dfrac{\boxed{}}{\boxed{}}$

④ $\dfrac{7}{10} - \dfrac{2}{5} = \dfrac{7 \times \boxed{}}{10 \times \boxed{}} - \dfrac{2 \times \boxed{}}{5 \times \boxed{}} = \dfrac{\boxed{}}{\boxed{}} - \dfrac{\boxed{}}{\boxed{}} = \dfrac{\boxed{}}{\boxed{}} = \dfrac{\boxed{}}{\boxed{}}$

⑤ $\dfrac{11}{16} - \dfrac{1}{4} = \dfrac{11 \times \boxed{}}{16 \times \boxed{}} - \dfrac{1 \times \boxed{}}{4 \times \boxed{}} = \dfrac{\boxed{}}{\boxed{}} - \dfrac{\boxed{}}{\boxed{}} = \dfrac{\boxed{}}{\boxed{}} = \dfrac{\boxed{}}{\boxed{}}$

⑥ $\dfrac{7}{9} - \dfrac{1}{6} = \dfrac{7 \times \boxed{}}{9 \times \boxed{}} - \dfrac{1 \times \boxed{}}{6 \times \boxed{}} = \dfrac{\boxed{}}{\boxed{}} - \dfrac{\boxed{}}{\boxed{}} = \dfrac{\boxed{}}{\boxed{}} = \dfrac{\boxed{}}{\boxed{}}$

⑦ $\dfrac{9}{20} - \dfrac{1}{4} = \dfrac{9 \times \boxed{}}{20 \times \boxed{}} - \dfrac{1 \times \boxed{}}{4 \times \boxed{}} = \dfrac{\boxed{}}{\boxed{}} - \dfrac{\boxed{}}{\boxed{}} = \dfrac{\boxed{}}{\boxed{}} = \dfrac{\boxed{}}{\boxed{}}$

분수의 뺄셈을 계산하세요.

$$\frac{3}{4} - \frac{1}{5} = \frac{15}{20} - \frac{4}{20} = \frac{11}{20}$$

① $\dfrac{5}{8} - \dfrac{1}{12} =$

② $\dfrac{1}{2} - \dfrac{3}{8} =$

③ $\dfrac{9}{10} - \dfrac{7}{15} =$

④ $\dfrac{5}{6} - \dfrac{4}{15} =$

⑤ $\dfrac{3}{7} - \dfrac{1}{3} =$

⑥ $\dfrac{11}{15} - \dfrac{3}{5} =$

⑦ $\dfrac{11}{12} - \dfrac{2}{5} =$

⑧ $\dfrac{9}{10} - \dfrac{2}{3} =$

⑨ $\dfrac{5}{12} - \dfrac{1}{15} =$

⑩ $\dfrac{4}{5} - \dfrac{4}{9} =$

⑪ $\dfrac{10}{11} - \dfrac{7}{12} =$

⑫ $\dfrac{22}{25} - \dfrac{3}{4} =$

⑬ $\dfrac{25}{32} - \dfrac{3}{8} =$

- 두 분모의 최소공배수로 통분하여 분수의 뺄셈을 할 수 있습니다.

$$\frac{7}{9} - \frac{1}{6} = \frac{7 \times 2}{9 \times 2} - \frac{1 \times 3}{6 \times 3} = \frac{14}{18} - \frac{3}{18} = \frac{11}{18}$$

9와 6의 최소공배수 : 18

- 계산 결과가 기약분수가 아닌 경우 기약분수가 되도록 약분해서 나타냅니다.

두 분모의 최소공배수로 통분한 후 분수의 뺄셈을 계산하려고 합니다. ☐에 알맞은 수를 써 넣으세요.

① $\dfrac{1}{4} - \dfrac{1}{6} = \dfrac{1 \times \boxed{}}{4 \times 3} - \dfrac{1 \times \boxed{}}{6 \times 2} = \dfrac{\boxed{}}{12} - \dfrac{\boxed{}}{12} = \dfrac{\boxed{}}{12}$

② $\dfrac{11}{16} - \dfrac{3}{8} = \dfrac{11}{16} - \dfrac{3 \times \boxed{}}{8 \times 2} = \dfrac{\boxed{}}{16} - \dfrac{\boxed{}}{16} = \dfrac{\boxed{}}{16}$

③ $\dfrac{5}{9} - \dfrac{5}{12} = \dfrac{5 \times \boxed{}}{9 \times \boxed{}} - \dfrac{5 \times \boxed{}}{12 \times \boxed{}} = \dfrac{\boxed{}}{\boxed{}} - \dfrac{\boxed{}}{\boxed{}} = \dfrac{\boxed{}}{\boxed{}}$

④ $\dfrac{3}{7} - \dfrac{4}{21} = \dfrac{3 \times \boxed{}}{7 \times \boxed{}} - \dfrac{4}{21} = \dfrac{\boxed{}}{\boxed{}} - \dfrac{\boxed{}}{\boxed{}} = \dfrac{\boxed{}}{\boxed{}}$

Tip
두 분모의 최소공배수를 이용하려면 최소공배수를 구하는 계산을 해야하지만 분자끼리의 뺄셈이 간편해집니다.

두 분모의 최소공배수로 통분한 후 분수의 뺄셈을 계산하려고 합니다. ☐에 알맞은 수를 써 넣으세요.

① $\dfrac{11}{12} - \dfrac{8}{15} = \dfrac{11 \times \square}{12 \times \square} - \dfrac{8 \times \square}{15 \times \square} = \dfrac{\square}{\square} - \dfrac{\square}{\square} = \dfrac{\square}{\square}$

② $\dfrac{13}{20} - \dfrac{3}{8} = \dfrac{13 \times \square}{20 \times \square} - \dfrac{3 \times \square}{8 \times \square} = \dfrac{\square}{\square} - \dfrac{\square}{\square} = \dfrac{\square}{\square}$

③ $\dfrac{19}{25} - \dfrac{3}{5} = \dfrac{19}{25} - \dfrac{3 \times \square}{5 \times \square} = \dfrac{\square}{\square} - \dfrac{\square}{\square} = \dfrac{\square}{\square}$

④ $\dfrac{3}{8} - \dfrac{3}{10} = \dfrac{3 \times \square}{8 \times \square} - \dfrac{3 \times \square}{10 \times \square} = \dfrac{\square}{\square} - \dfrac{\square}{\square} = \dfrac{\square}{\square}$

⑤ $\dfrac{39}{45} - \dfrac{1}{10} = \dfrac{39 \times \square}{45 \times \square} - \dfrac{1 \times \square}{10 \times \square} = \dfrac{\square}{\square} - \dfrac{\square}{\square} = \dfrac{\square}{\square}$

⑥ $\dfrac{17}{18} - \dfrac{5}{6} = \dfrac{17}{18} - \dfrac{5 \times \square}{6 \times \square} = \dfrac{\square}{\square} - \dfrac{\square}{\square} = \dfrac{\square}{\square}$

⑦ $\dfrac{13}{14} - \dfrac{16}{21} = \dfrac{13 \times \square}{14 \times \square} - \dfrac{16 \times \square}{21 \times \square} = \dfrac{\square}{\square} - \dfrac{\square}{\square} = \dfrac{\square}{\square}$

분수의 뺄셈을 계산하세요.

$$\frac{7}{8} - \frac{1}{2} = \frac{7}{8} - \frac{4}{8} = \frac{3}{8}$$

① $\dfrac{8}{9} - \dfrac{1}{3} =$

② $\dfrac{7}{10} - \dfrac{3}{20} =$

③ $\dfrac{2}{9} - \dfrac{1}{6} =$

④ $\dfrac{3}{8} - \dfrac{1}{12} =$

⑤ $\dfrac{7}{16} - \dfrac{5}{12} =$

⑥ $\dfrac{11}{16} - \dfrac{9}{20} =$

⑦ $\dfrac{7}{15} - \dfrac{13}{30} =$

⑧ $\dfrac{19}{24} - \dfrac{5}{36} =$

⑨ $\dfrac{8}{9} - \dfrac{4}{15} =$

⑩ $\dfrac{39}{50} - \dfrac{14}{25} =$

⑪ $\dfrac{4}{7} - \dfrac{3}{11} =$

⑫ $\dfrac{11}{12} - \dfrac{5}{18} =$

⑬ $\dfrac{9}{26} - \dfrac{2}{39} =$

진분수의 덧셈과 뺄셈

 두 분수의 합과 차를 구하세요.

① $\dfrac{2}{3}$ $\dfrac{3}{4}$

합 ☐   차 ☐

② $\dfrac{5}{8}$ $\dfrac{7}{12}$

합 ☐   차 ☐

③ $\dfrac{1}{2}$ $\dfrac{5}{6}$

합 ☐   차 ☐

④ $\dfrac{11}{12}$ $\dfrac{1}{6}$

합 ☐   차 ☐

⑤ $\dfrac{1}{4}$ $\dfrac{5}{6}$

합 ☐   차 ☐

⑥ $\dfrac{13}{20}$ $\dfrac{2}{3}$

합 ☐   차 ☐

문제를 읽고 알맞은 답을 구하세요.

① 민호와 동생이 어머니가 부쳐주신 전을 먹었는데 민호는 전체의 $\frac{2}{5}$를, 동생은 전체의 $\frac{1}{8}$을 먹었습니다. 두 사람이 먹은 전은 전체 양의 얼마일까요?

답 : _____

② 국어 문제집의 두께는 $\frac{13}{16}$ cm이고, 수학 문제집의 두께는 $\frac{17}{20}$ cm입니다. 두 책을 포개 놓으면 높이는 몇 cm가 될까요?

답 : _____ cm

③ 은숙이는 오전에 물 $\frac{3}{8}$ L를 마셨는데 오후에는 오전보다 $\frac{1}{4}$ L의 물을 더 마셨습니다. 은숙이가 오후에 마신 물은 몇 L일까요?

답 : _____ L

④ 크기가 같은 2개의 컵에 우유가 각각 $\frac{9}{20}$컵과 $\frac{8}{15}$컵이 들어 있습니다. 두 컵의 우유를 하나로 합치면 모두 몇 컵이 될까요?

답 : _____ 컵

🐌 문제를 읽고 알맞은 답을 구하세요.

① 유림이네 집에서 학교까지의 거리는 $\frac{8}{9}$ km이고 문구점까지의 거리는 $\frac{1}{6}$ km입니다. 유림이네 집에서 학교는 문구점보다 몇 km 더 멀리 떨어져 있을까요?

답 : _____km

② 민정이는 신문지의 $\frac{5}{7}$ 장을, 주아는 신문지의 $\frac{23}{28}$ 장을 잘라 종이배를 접으려고 합니다. 주아는 민정이보다 몇 장의 신문지를 더 잘랐을까요?

답 : _____장

③ 물컵에 물 $\frac{11}{15}$ L가 들어 있었는데 실수로 물을 흘려 $\frac{7}{12}$ L의 물만 남았습니다. 흘린 물은 모두 몇 L일까요?

답 : _____L

④ 성학이는 숙제를 마치고 저녁을 먹기까지 $\frac{5}{7}$ 시간이 남아 있었는데 밖에서 친구들과 $\frac{7}{20}$ 시간을 놀고 들어왔습니다. 성학이가 저녁을 먹기까지는 몇 시간이 더 남아 있을까요?

답 : _____시간

· **3**주차 ·

도전! 계산왕

1 일 ❶ 분모가 다른 진분수의 덧셈과 뺄셈

✍ 계산을 하세요.

① $\dfrac{8}{9} + \dfrac{2}{3} =$

② $\dfrac{2}{5} - \dfrac{3}{10} =$

③ $\dfrac{2}{3} + \dfrac{2}{5} =$

④ $\dfrac{3}{8} - \dfrac{1}{6} =$

⑤ $\dfrac{1}{2} + \dfrac{2}{7} =$

⑥ $\dfrac{2}{3} - \dfrac{1}{12} =$

⑦ $\dfrac{4}{9} + \dfrac{1}{3} =$

⑧ $\dfrac{6}{11} - \dfrac{1}{4} =$

⑨ $\dfrac{2}{3} + \dfrac{2}{5} =$

⑩ $\dfrac{5}{9} - \dfrac{1}{6} =$

⑪ $\dfrac{5}{6} + \dfrac{8}{15} =$

⑫ $\dfrac{3}{14} - \dfrac{2}{21} =$

⑬ $\dfrac{4}{5} + \dfrac{24}{25} =$

⑭ $\dfrac{13}{22} - \dfrac{2}{5} =$

분모가 다른 진분수의 덧셈과 뺄셈

계산을 하세요.

① $\dfrac{1}{7} + \dfrac{1}{2} =$

② $\dfrac{1}{2} - \dfrac{1}{3} =$

③ $\dfrac{3}{4} + \dfrac{3}{8} =$

④ $\dfrac{4}{5} - \dfrac{4}{7} =$

⑤ $\dfrac{3}{4} + \dfrac{8}{11} =$

⑥ $\dfrac{3}{4} - \dfrac{5}{12} =$

⑦ $\dfrac{3}{5} + \dfrac{5}{12} =$

⑧ $\dfrac{7}{15} - \dfrac{1}{4} =$

⑨ $\dfrac{7}{8} + \dfrac{5}{9} =$

⑩ $\dfrac{7}{8} - \dfrac{7}{15} =$

⑪ $\dfrac{2}{11} + \dfrac{5}{12} =$

⑫ $\dfrac{11}{16} - \dfrac{7}{24} =$

⑬ $\dfrac{3}{7} + \dfrac{37}{40} =$

⑭ $\dfrac{21}{25} - \dfrac{7}{10} =$

2일 ❶ 분모가 다른 진분수의 덧셈과 뺄셈

🐌 계산을 하세요.

① $\dfrac{1}{8} + \dfrac{1}{7} =$

② $\dfrac{1}{4} - \dfrac{1}{5} =$

③ $\dfrac{2}{3} + \dfrac{1}{6} =$

④ $\dfrac{3}{7} - \dfrac{3}{11} =$

⑤ $\dfrac{3}{4} + \dfrac{6}{13} =$

⑥ $\dfrac{2}{3} - \dfrac{5}{9} =$

⑦ $\dfrac{3}{7} + \dfrac{5}{9} =$

⑧ $\dfrac{1}{2} - \dfrac{5}{17} =$

⑨ $\dfrac{3}{10} + \dfrac{5}{11} =$

⑩ $\dfrac{4}{7} - \dfrac{4}{13} =$

⑪ $\dfrac{1}{12} + \dfrac{3}{13} =$

⑫ $\dfrac{7}{9} - \dfrac{11}{27} =$

⑬ $\dfrac{4}{9} + \dfrac{17}{20} =$

⑭ $\dfrac{22}{27} - \dfrac{1}{9} =$

2일 ❷ 분모가 다른 진분수의 덧셈과 뺄셈

🐌 계산을 하세요.

① $\dfrac{7}{8} + \dfrac{1}{6} =$

② $\dfrac{2}{3} - \dfrac{2}{5} =$

③ $\dfrac{1}{4} + \dfrac{2}{7} =$

④ $\dfrac{5}{7} - \dfrac{1}{2} =$

⑤ $\dfrac{1}{2} + \dfrac{7}{16} =$

⑥ $\dfrac{3}{4} - \dfrac{2}{9} =$

⑦ $\dfrac{13}{18} + \dfrac{5}{9} =$

⑧ $\dfrac{6}{13} - \dfrac{1}{5} =$

⑨ $\dfrac{5}{6} + \dfrac{8}{11} =$

⑩ $\dfrac{17}{20} - \dfrac{5}{12} =$

⑪ $\dfrac{3}{16} + \dfrac{5}{12} =$

⑫ $\dfrac{9}{16} - \dfrac{3}{8} =$

⑬ $\dfrac{7}{27} + \dfrac{2}{45} =$

⑭ $\dfrac{1}{6} - \dfrac{1}{20} =$

3일 ❶   분모가 다른 진분수의 덧셈과 뺄셈

🐌 계산을 하세요.

① $\dfrac{5}{7} + \dfrac{1}{2} =$

② $\dfrac{3}{4} - \dfrac{1}{2} =$

③ $\dfrac{2}{3} + \dfrac{3}{5} =$

④ $\dfrac{6}{7} - \dfrac{1}{3} =$

⑤ $\dfrac{1}{4} + \dfrac{8}{9} =$

⑥ $\dfrac{1}{2} - \dfrac{5}{13} =$

⑦ $\dfrac{9}{11} + \dfrac{3}{4} =$

⑧ $\dfrac{5}{9} - \dfrac{1}{4} =$

⑨ $\dfrac{5}{12} + \dfrac{1}{5} =$

⑩ $\dfrac{15}{16} - \dfrac{1}{6} =$

⑪ $\dfrac{2}{7} + \dfrac{5}{12} =$

⑫ $\dfrac{5}{13} - \dfrac{1}{4} =$

⑬ $\dfrac{1}{8} + \dfrac{8}{9} =$

⑭ $\dfrac{17}{22} - \dfrac{1}{5} =$

3일 ❷   분모가 다른 진분수의 덧셈과 뺄셈

계산을 하세요.

① $\dfrac{5}{6} + \dfrac{1}{2} =$

② $\dfrac{2}{3} - \dfrac{1}{8} =$

③ $\dfrac{2}{5} + \dfrac{3}{8} =$

④ $\dfrac{6}{7} - \dfrac{1}{2} =$

⑤ $\dfrac{1}{3} + \dfrac{7}{18} =$

⑥ $\dfrac{2}{3} - \dfrac{3}{11} =$

⑦ $\dfrac{3}{10} + \dfrac{1}{3} =$

⑧ $\dfrac{7}{12} - \dfrac{1}{6} =$

⑨ $\dfrac{9}{10} + \dfrac{5}{14} =$

⑩ $\dfrac{11}{15} - \dfrac{3}{7} =$

⑪ $\dfrac{11}{15} + \dfrac{7}{12} =$

⑫ $\dfrac{13}{16} - \dfrac{7}{10} =$

⑬ $\dfrac{11}{35} + \dfrac{33}{40} =$

⑭ $\dfrac{11}{14} - \dfrac{16}{21} =$

4일 ❶ 분모가 다른 진분수의 덧셈과 뺄셈

🎨 계산을 하세요.

① $\dfrac{7}{8} + \dfrac{3}{5} =$

② $\dfrac{1}{2} - \dfrac{4}{9} =$

③ $\dfrac{1}{3} + \dfrac{3}{7} =$

④ $\dfrac{5}{6} - \dfrac{1}{5} =$

⑤ $\dfrac{1}{5} + \dfrac{3}{8} =$

⑥ $\dfrac{1}{3} - \dfrac{4}{13} =$

⑦ $\dfrac{7}{12} + \dfrac{1}{9} =$

⑧ $\dfrac{4}{7} - \dfrac{1}{5} =$

⑨ $\dfrac{3}{8} + \dfrac{7}{16} =$

⑩ $\dfrac{7}{9} - \dfrac{5}{12} =$

⑪ $\dfrac{13}{18} + \dfrac{3}{8} =$

⑫ $\dfrac{1}{14} - \dfrac{1}{15} =$

⑬ $\dfrac{5}{32} + \dfrac{13}{24} =$

⑭ $\dfrac{11}{15} - \dfrac{16}{45} =$

4일 ❷ 분모가 다른 진분수의 덧셈과 뺄셈

🎯 계산을 하세요.

① $\dfrac{2}{9} + \dfrac{1}{5} =$

② $\dfrac{5}{6} - \dfrac{1}{7} =$

③ $\dfrac{5}{6} + \dfrac{3}{7} =$

④ $\dfrac{3}{5} - \dfrac{1}{2} =$

⑤ $\dfrac{1}{4} + \dfrac{3}{10} =$

⑥ $\dfrac{1}{7} - \dfrac{1}{12} =$

⑦ $\dfrac{5}{12} + \dfrac{1}{7} =$

⑧ $\dfrac{7}{12} - \dfrac{2}{5} =$

⑨ $\dfrac{5}{8} + \dfrac{11}{16} =$

⑩ $\dfrac{19}{24} - \dfrac{7}{16} =$

⑪ $\dfrac{13}{18} + \dfrac{3}{8} =$

⑫ $\dfrac{11}{16} - \dfrac{4}{15} =$

⑬ $\dfrac{13}{32} + \dfrac{23}{24} =$

⑭ $\dfrac{6}{25} - \dfrac{7}{50} =$

5일 ❶

분모가 다른 진분수의 덧셈과 뺄셈

계산을 하세요.

① $\dfrac{4}{5} + \dfrac{1}{2} =$

② $\dfrac{4}{5} - \dfrac{3}{10} =$

③ $\dfrac{1}{4} + \dfrac{2}{3} =$

④ $\dfrac{5}{6} - \dfrac{2}{5} =$

⑤ $\dfrac{1}{3} + \dfrac{7}{13} =$

⑥ $\dfrac{1}{2} - \dfrac{1}{13} =$

⑦ $\dfrac{8}{15} + \dfrac{4}{9} =$

⑧ $\dfrac{2}{9} - \dfrac{1}{12} =$

⑨ $\dfrac{5}{6} + \dfrac{7}{9} =$

⑩ $\dfrac{7}{20} - \dfrac{3}{14} =$

⑪ $\dfrac{13}{24} + \dfrac{5}{9} =$

⑫ $\dfrac{5}{6} - \dfrac{3}{16} =$

⑬ $\dfrac{4}{11} + \dfrac{1}{12} =$

⑭ $\dfrac{9}{14} - \dfrac{8}{21} =$

분모가 다른 진분수의 덧셈과 뺄셈

계산을 하세요.

① $\dfrac{3}{8} + \dfrac{5}{6} =$

② $\dfrac{1}{2} - \dfrac{1}{5} =$

③ $\dfrac{3}{4} + \dfrac{5}{9} =$

④ $\dfrac{5}{7} - \dfrac{1}{3} =$

⑤ $\dfrac{5}{11} + \dfrac{3}{10} =$

⑥ $\dfrac{1}{8} - \dfrac{1}{12} =$

⑦ $\dfrac{6}{7} + \dfrac{4}{9} =$

⑧ $\dfrac{7}{13} - \dfrac{1}{2} =$

⑨ $\dfrac{8}{15} + \dfrac{5}{6} =$

⑩ $\dfrac{13}{18} - \dfrac{9}{16} =$

⑪ $\dfrac{5}{16} + \dfrac{3}{14} =$

⑫ $\dfrac{9}{14} - \dfrac{1}{6} =$

⑬ $\dfrac{20}{21} + \dfrac{1}{28} =$

⑭ $\dfrac{17}{24} - \dfrac{7}{18} =$

4주차

분모가 다른 대분수의 덧셈과 뺄셈

대분수끼리의 덧셈, 뺄셈을 할 때 자연수로 받아올림하거나 자연수에서 받아내림하면서 실수가 많으므로 보다 주의해서 연습하도록 합니다. 항상 마지막 답은 기약분수와 대분수로 나타내도록 합니다.

공부한 날   월   일

• 대분수끼리의 덧셈은 분수를 통분한 다음 자연수는 자연수끼리, 분수는 분수끼리 더해서 계산합니다.

$$5\frac{1}{6} + 2\frac{2}{9} = 5\frac{3}{18} + 2\frac{4}{18} = (5+2) + (\frac{3}{18} + \frac{4}{18}) = 7 + \frac{7}{18} = 7\frac{7}{18}$$

□에 알맞은 수를 써넣으세요.

① $2\frac{3}{8} + 1\frac{1}{6} = 2\frac{\square}{24} + 1\frac{\square}{24} = (2+1) + (\frac{\square}{24} + \frac{\square}{24}) = \square + \frac{\square}{24} = \boxed{}$

② $7\frac{1}{7} + \frac{1}{3} = 7\frac{\square}{21} + \frac{\square}{21} = 7 + (\frac{\square}{21} + \frac{\square}{21}) = \square + \frac{\square}{21} = \boxed{}$

③ $5\frac{2}{15} + 3\frac{3}{10} = 5\frac{\square}{\square} + 3\frac{\square}{\square} = (5+3) + (\frac{\square}{\square} + \frac{\square}{\square}) = \square + \frac{\square}{\square} = \boxed{}$

④ $1\frac{1}{8} + 3\frac{5}{12} = 1\frac{\square}{\square} + 3\frac{\square}{\square} = (1+3) + (\frac{\square}{\square} + \frac{\square}{\square}) = \square + \frac{\square}{\square} = \boxed{}$

⑤ $\frac{3}{25} + 5\frac{1}{10} = \frac{\square}{\square} + 5\frac{\square}{\square} = 5 + (\frac{\square}{\square} + \frac{\square}{\square}) = \square + \frac{\square}{\square} = \boxed{}$

- 분수끼리의 계산에서 가분수가 나왔을 경우에는 자연수에 1을 받아올림하여 계산합니다.

$$2\frac{5}{6} + 1\frac{3}{8} = 2\frac{20}{24} + 1\frac{9}{24} = (2+1) + (\frac{20}{24} + \frac{9}{24}) = 3 + 1\frac{5}{24} = 4\frac{5}{24}$$

□에 알맞은 수를 써넣으세요.

① $2\frac{3}{4} + 2\frac{5}{9} = (2+2) + (\dfrac{\square}{36} + \dfrac{\square}{36}) = \square + \square\dfrac{\square}{36} = \boxed{}$

② $1\frac{7}{8} + 6\frac{5}{12} = (1+6) + (\dfrac{\square}{24} + \dfrac{\square}{24}) = \square + \square\dfrac{\square}{24} = \boxed{}$

③ $\frac{3}{5} + 7\frac{8}{15} = 7 + (\dfrac{\square}{\square} + \dfrac{\square}{\square}) = \square + \square\dfrac{\square}{\square} = \boxed{}$

④ $5\frac{13}{22} + 3\frac{6}{11} = (5+3) + (\dfrac{\square}{\square} + \dfrac{\square}{\square}) = \square + \square\dfrac{\square}{\square} = \boxed{}$

⑤ $8\frac{5}{18} + 1\frac{9}{10} = (8+1) + (\dfrac{\square}{\square} + \dfrac{\square}{\square}) = \square + \square\dfrac{\square}{\square} = \boxed{}$

분수의 덧셈을 계산하세요.

$1\dfrac{1}{3} + 4\dfrac{8}{15} = 5 + \dfrac{5}{15} + \dfrac{8}{15} = 5\dfrac{13}{15}$

① $5\dfrac{1}{10} + 2\dfrac{5}{12} =$

② $4\dfrac{7}{8} + 4\dfrac{7}{12} =$

③ $2\dfrac{1}{6} + \dfrac{5}{18} =$

④ $1\dfrac{2}{9} + 1\dfrac{5}{6} =$

⑤ $7\dfrac{3}{14} + 1\dfrac{8}{21} =$

⑥ $\dfrac{9}{13} + 7\dfrac{21}{26} =$

⑦ $4\dfrac{22}{25} + 2\dfrac{1}{10} =$

⑧ $1\dfrac{7}{16} + 6\dfrac{5}{24} =$

⑨ $\dfrac{7}{8} + 5\dfrac{11}{12} =$

⑩ $2\dfrac{2}{7} + 6\dfrac{3}{70} =$

⑪ $3\dfrac{21}{22} + 3\dfrac{19}{33} =$

⑫ $4\dfrac{7}{9} + \dfrac{7}{8} =$

⑬ $1\dfrac{2}{15} + 5\dfrac{5}{12} =$

분모가 다른 대분수의 덧셈 2

- 대분수끼리의 덧셈에서 대분수를 모두 가분수로 고쳐서 계산해도 됩니다.

$$4\frac{1}{2} + 3\frac{2}{3} = \frac{9}{2} + \frac{11}{3} = \frac{27}{6} + \frac{22}{6} = \frac{49}{6} = 8\frac{1}{6}$$

- 기약분수가 아니면 약분하고 가분수로 나온 결과는 대분수로 바꾸어 나타냅니다.

대분수를 모두 가분수로 바꾸어 덧셈을 계산하려고 합니다. □에 알맞은 수를 써넣으세요.

① $2\frac{1}{2} + 1\frac{3}{8} = \dfrac{\square}{2} + \dfrac{\square}{8} = \dfrac{\square}{8} + \dfrac{\square}{8} = \dfrac{\square}{8} = \square\dfrac{\square}{8}$

② $3\frac{3}{4} + 2\frac{1}{6} = \dfrac{\square}{4} + \dfrac{\square}{6} = \dfrac{\square}{12} + \dfrac{\square}{12} = \dfrac{\square}{12} = \square\dfrac{\square}{12}$

③ $1\frac{2}{3} + 1\frac{5}{7} = \dfrac{\square}{\square} + \dfrac{\square}{\square} = \dfrac{\square}{\square} + \dfrac{\square}{\square} = \dfrac{\square}{\square} = \square\dfrac{\square}{\square}$

④ $4\frac{5}{6} + 3\frac{2}{3} = \dfrac{\square}{\square} + \dfrac{\square}{\square} = \dfrac{\square}{\square} + \dfrac{\square}{\square} = \dfrac{\square}{\square} = \square\dfrac{\square}{\square}$

대분수를 모두 가분수로 바꾸어 덧셈을 계산하려고 합니다. ☐에 알맞은 수를 써넣으세요.

① $2\dfrac{1}{2} + 1\dfrac{2}{5} = \dfrac{\boxed{}}{\boxed{}} + \dfrac{\boxed{}}{\boxed{}} = \dfrac{\boxed{}}{\boxed{}} + \dfrac{\boxed{}}{\boxed{}} = \dfrac{\boxed{}}{\boxed{}} = \boxed{}\dfrac{\boxed{}}{\boxed{}}$

② $2\dfrac{1}{4} + 1\dfrac{1}{5} = \dfrac{\boxed{}}{\boxed{}} + \dfrac{\boxed{}}{\boxed{}} = \dfrac{\boxed{}}{\boxed{}} + \dfrac{\boxed{}}{\boxed{}} = \dfrac{\boxed{}}{\boxed{}} = \boxed{}\dfrac{\boxed{}}{\boxed{}}$

③ $4\dfrac{1}{6} + 1\dfrac{2}{3} = \dfrac{\boxed{}}{\boxed{}} + \dfrac{\boxed{}}{\boxed{}} = \dfrac{\boxed{}}{\boxed{}} + \dfrac{\boxed{}}{\boxed{}} = \dfrac{\boxed{}}{\boxed{}} = \boxed{}\dfrac{\boxed{}}{\boxed{}}$

④ $1\dfrac{5}{8} + 2\dfrac{3}{4} = \dfrac{\boxed{}}{\boxed{}} + \dfrac{\boxed{}}{\boxed{}} = \dfrac{\boxed{}}{\boxed{}} + \dfrac{\boxed{}}{\boxed{}} = \dfrac{\boxed{}}{\boxed{}} = \boxed{}\dfrac{\boxed{}}{\boxed{}}$

⑤ $1\dfrac{7}{12} + 3\dfrac{1}{3} = \dfrac{\boxed{}}{\boxed{}} + \dfrac{\boxed{}}{\boxed{}} = \dfrac{\boxed{}}{\boxed{}} + \dfrac{\boxed{}}{\boxed{}} = \dfrac{\boxed{}}{\boxed{}} = \boxed{}\dfrac{\boxed{}}{\boxed{}}$

⑥ $1\dfrac{3}{10} + \dfrac{2}{15} = \dfrac{\boxed{}}{\boxed{}} + \dfrac{\boxed{}}{\boxed{}} = \dfrac{\boxed{}}{\boxed{}} + \dfrac{\boxed{}}{\boxed{}} = \dfrac{\boxed{}}{\boxed{}} = \boxed{}\dfrac{\boxed{}}{\boxed{}}$

⑦ $1\dfrac{9}{20} + 2\dfrac{7}{10} = \dfrac{\boxed{}}{\boxed{}} + \dfrac{\boxed{}}{\boxed{}} = \dfrac{\boxed{}}{\boxed{}} + \dfrac{\boxed{}}{\boxed{}} = \dfrac{\boxed{}}{\boxed{}} = \boxed{}\dfrac{\boxed{}}{\boxed{}}$

분수의 덧셈을 계산하세요.

$$4\frac{1}{2} + 3\frac{1}{4} = \frac{9}{2} + \frac{13}{4} = \frac{31}{4} = 7\frac{3}{4}$$

또는 $4\frac{2}{4} + 3\frac{1}{4} = 7\frac{3}{4}$

① $6\frac{3}{4} + 3\frac{2}{5} =$

② $1\frac{7}{9} + 3\frac{1}{6} =$

③ $5\frac{3}{8} + 4\frac{1}{6} =$

④ $\frac{2}{3} + 5\frac{5}{8} =$

⑤ $7\frac{1}{10} + 1\frac{4}{5} =$

⑥ $1\frac{5}{14} + 1\frac{2}{7} =$

⑦ $6\frac{3}{20} + 1\frac{2}{5} =$

⑧ $3\frac{5}{12} + 4\frac{2}{15} =$

⑨ $8\frac{9}{70} + 5\frac{3}{14} =$

⑩ $4\frac{8}{9} + 2\frac{8}{15} =$

⑪ $3\frac{7}{24} + 1\frac{11}{32} =$

⑫ $\frac{2}{3} + 5\frac{19}{20} =$

⑬ $7\frac{4}{33} + 2\frac{3}{22} =$

분모가 다른 대분수의 뺄셈1

- 대분수끼리의 뺄셈은 자연수는 자연수끼리, 분수는 분수끼리 빼서 계산합니다.

$$5\frac{3}{4} - 2\frac{1}{3} = 5\frac{9}{12} - 2\frac{4}{12} = (5-2) + \left(\frac{9}{12} - \frac{4}{12}\right) = 3 + \frac{5}{12} = 3\frac{5}{12}$$

 □에 알맞은 수를 써넣으세요.

① $8\dfrac{5}{6} - 5\dfrac{2}{9} = 8\dfrac{\square}{18} - 5\dfrac{\square}{18} = (8-5) + \left(\dfrac{\square}{18} - \dfrac{\square}{18}\right) = \square + \dfrac{\square}{18} = \square$

② $3\dfrac{6}{7} - 2\dfrac{1}{4} = 3\dfrac{\square}{28} - 2\dfrac{\square}{28} = (3-2) + \left(\dfrac{\square}{28} - \dfrac{\square}{28}\right) = \square + \dfrac{\square}{28} = \square$

③ $1\dfrac{9}{10} - \dfrac{5}{6} = 1\dfrac{\square}{\square} - \dfrac{\square}{\square} = 1 + \left(\dfrac{\square}{\square} - \dfrac{\square}{\square}\right) = \square + \dfrac{\square}{\square} = \square$

④ $8\dfrac{11}{15} - 2\dfrac{7}{20} = 8\dfrac{\square}{\square} - 2\dfrac{\square}{\square} = (8-2) + \left(\dfrac{\square}{\square} - \dfrac{\square}{\square}\right) = \square + \dfrac{\square}{\square} = \square$

⑤ $4\dfrac{8}{9} - 1\dfrac{1}{6} = 4\dfrac{\square}{\square} - 1\dfrac{\square}{\square} = (4-1) + \left(\dfrac{\square}{\square} - \dfrac{\square}{\square}\right) = \square + \dfrac{\square}{\square} = \square$

- 대분수끼리의 계산에서 진분수끼리 뺄 수가 없을 경우에는 자연수에서 1을 받아내림하여 계산합니다.

$$6\frac{3}{10} - 1\frac{1}{2} = 6\frac{3}{10} - 1\frac{5}{10} = 5\frac{13}{10} - 1\frac{5}{10} = 4\frac{\cancel{8}^{4}}{\cancel{10}_{5}} = 4\frac{4}{5}$$

□에 알맞은 수를 써넣으세요.

① $5\dfrac{1}{6} - 2\dfrac{3}{8} = 5\dfrac{\square}{24} - 2\dfrac{\square}{24} = \square\dfrac{\square}{24} - 2\dfrac{\square}{24} = \boxed{}$

② $7\dfrac{2}{9} - 3\dfrac{2}{3} = 7\dfrac{\square}{9} - 3\dfrac{\square}{9} = \square\dfrac{\square}{9} - 3\dfrac{\square}{9} = \boxed{}$

③ $3\dfrac{5}{12} - \dfrac{7}{8} = 3\dfrac{\square}{\square} - \dfrac{\square}{\square} = \square\dfrac{\square}{\square} - \dfrac{\square}{\square} = \boxed{}$

④ $3\dfrac{2}{7} - 1\dfrac{2}{3} = 3\dfrac{\square}{\square} - 1\dfrac{\square}{\square} = \square\dfrac{\square}{\square} - \square\dfrac{\square}{\square} = \boxed{}$

⑤ $7\dfrac{3}{10} - 4\dfrac{3}{5} = 7\dfrac{\square}{\square} - 4\dfrac{\square}{\square} = \square\dfrac{\square}{\square} - \square\dfrac{\square}{\square} = \boxed{}$

분수의 뺄셈을 계산하세요.

$7\dfrac{1}{3} - 4\dfrac{1}{2} =$ $7\dfrac{2}{6} - 4\dfrac{3}{6} = 6\dfrac{8}{6} - 4\dfrac{3}{6} = 2\dfrac{5}{6}$

① $7\dfrac{5}{6} - 3\dfrac{5}{18} =$

② $8\dfrac{7}{10} - 3\dfrac{1}{6} =$

③ $4\dfrac{7}{8} - 1\dfrac{13}{40} =$

④ $9\dfrac{3}{8} - \dfrac{11}{12} =$

⑤ $6\dfrac{5}{14} - 5\dfrac{1}{2} =$

⑥ $2\dfrac{22}{25} - 1\dfrac{9}{50} =$

⑦ $3\dfrac{1}{10} - 1\dfrac{16}{35} =$

⑧ $4\dfrac{9}{14} - 3\dfrac{5}{21} =$

⑨ $8\dfrac{1}{6} - \dfrac{4}{27} =$

⑩ $6\dfrac{13}{22} - 2\dfrac{3}{11} =$

⑪ $8\dfrac{3}{16} - 3\dfrac{7}{20} =$

⑫ $8\dfrac{3}{8} - 1\dfrac{5}{36} =$

⑬ $9\dfrac{1}{20} - 3\dfrac{17}{25} =$

분모가 다른 대분수의 뺄셈 2

- 대분수끼리의 뺄셈에서 대분수를 모두 가분수로 고쳐서 계산하는 방법도 있습니다.

$$5\frac{2}{5} - 1\frac{1}{3} = \frac{27}{5} - \frac{4}{3} = \frac{81}{15} - \frac{20}{15} = \frac{61}{15} = 4\frac{1}{15}$$

- 기약분수가 아니면 약분하고 가분수로 나온 결과는 대분수로 바꾸어 나타냅니다.

대분수를 모두 가분수로 바꾸어 뺄셈을 계산하려고 합니다. ☐에 알맞은 수를 써넣으세요.

① $5\frac{1}{3} - 2\frac{2}{5} = \dfrac{\boxed{}}{3} - \dfrac{\boxed{}}{5} = \dfrac{\boxed{}}{15} - \dfrac{\boxed{}}{15} = \dfrac{\boxed{}}{15} = \boxed{}$

② $5\frac{5}{12} - 3\frac{3}{4} = \dfrac{\boxed{}}{12} - \dfrac{\boxed{}}{4} = \dfrac{\boxed{}}{12} - \dfrac{\boxed{}}{12} = \dfrac{\boxed{}}{12} = \boxed{}$

③ $2\frac{3}{4} - \frac{3}{10} = \dfrac{\boxed{}}{\boxed{}} - \dfrac{\boxed{}}{\boxed{}} = \dfrac{\boxed{}}{\boxed{}} - \dfrac{\boxed{}}{\boxed{}} = \dfrac{\boxed{}}{\boxed{}} = \boxed{}$

④ $3\frac{4}{15} - 1\frac{1}{5} = \dfrac{\boxed{}}{\boxed{}} - \dfrac{\boxed{}}{\boxed{}} = \dfrac{\boxed{}}{\boxed{}} - \dfrac{\boxed{}}{\boxed{}} = \dfrac{\boxed{}}{\boxed{}} = \boxed{}$

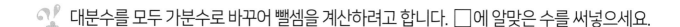 대분수를 모두 가분수로 바꾸어 뺄셈을 계산하려고 합니다. □에 알맞은 수를 써넣으세요.

① $4\dfrac{3}{4} - 2\dfrac{1}{8} = \dfrac{\square}{\square} - \dfrac{\square}{\square} = \dfrac{\square}{\square} - \dfrac{\square}{\square} = \dfrac{\square}{\square} = \square$

② $6\dfrac{1}{2} - 3\dfrac{2}{5} = \dfrac{\square}{\square} - \dfrac{\square}{\square} = \dfrac{\square}{\square} - \dfrac{\square}{\square} = \dfrac{\square}{\square} = \square$

③ $3\dfrac{1}{6} - \dfrac{1}{2} = \dfrac{\square}{\square} - \dfrac{\square}{\square} = \dfrac{\square}{\square} - \dfrac{\square}{\square} = \dfrac{\square}{\square} = \square$

④ $8\dfrac{1}{6} - 2\dfrac{7}{12} = \dfrac{\square}{\square} - \dfrac{\square}{\square} = \dfrac{\square}{\square} - \dfrac{\square}{\square} = \dfrac{\square}{\square} = \square$

⑤ $5\dfrac{9}{10} - 3\dfrac{1}{2} = \dfrac{\square}{\square} - \dfrac{\square}{\square} = \dfrac{\square}{\square} - \dfrac{\square}{\square} = \dfrac{\square}{\square} = \square$

⑥ $2\dfrac{8}{21} - 1\dfrac{1}{7} = \dfrac{\square}{\square} - \dfrac{\square}{\square} = \dfrac{\square}{\square} - \dfrac{\square}{\square} = \dfrac{\square}{\square} = \square$

⑦ $4\dfrac{9}{16} - 2\dfrac{7}{8} = \dfrac{\square}{\square} - \dfrac{\square}{\square} = \dfrac{\square}{\square} - \dfrac{\square}{\square} = \dfrac{\square}{\square} = \square$

분수의 뺄셈을 계산하세요.

$$2\frac{7}{10} - 1\frac{1}{5} = 2\frac{7}{10} - 1\frac{2}{10} = 1\frac{5}{10} = 1\frac{1}{2}$$

또는 $\frac{27}{10} - \frac{6}{5} = \frac{27}{10} - \frac{12}{10} = \frac{15}{10} = 1\frac{1}{2}$

① $5\frac{5}{14} - \frac{13}{42} =$

② $8\frac{1}{2} - 3\frac{5}{7} =$

③ $7\frac{5}{8} - 3\frac{5}{12} =$

④ $5\frac{5}{6} - 1\frac{3}{4} =$

⑤ $8\frac{11}{15} - 6\frac{7}{10} =$

⑥ $8\frac{1}{5} - 5\frac{1}{9} =$

⑦ $3\frac{2}{9} - 1\frac{5}{6} =$

⑧ $7\frac{11}{15} - \frac{5}{6} =$

⑨ $6\frac{1}{6} - 5\frac{1}{3} =$

⑩ $2\frac{1}{3} - 1\frac{7}{18} =$

⑪ $9\frac{17}{25} - 2\frac{39}{50} =$

⑫ $9\frac{1}{6} - 4\frac{9}{10} =$

⑬ $7\frac{5}{16} - 1\frac{11}{12} =$

대분수의 덧셈과 뺄셈

두 분수의 합과 차를 구하세요.

①

$2\frac{5}{16}$ $5\frac{7}{8}$

합   차

②

$3\frac{9}{20}$ $2\frac{1}{8}$

합   차

③

$4\frac{1}{3}$ $3\frac{1}{4}$

합   차

④

$4\frac{9}{10}$ $7\frac{3}{5}$

합   차

⑤

$1\frac{4}{9}$ $3\frac{5}{7}$

합   차

⑥

$7\frac{8}{15}$ $2\frac{5}{12}$

합   차

😃 문제를 읽고 알맞은 답을 구하세요.

① 리본으로 꽃을 만드는데 현수는 $3\frac{7}{8}$ m를, 혜란이는 $5\frac{1}{6}$ m를 사용하였습니다. 두 사람이 사용한 리본의 길이는 모두 몇 m일까요?

답 : _____m

② 바구니에는 사과 3개와 귤 2개가 있는데 사과 3개의 무게는 $1\frac{8}{15}$ kg이고 귤 2개의 무게는 $\frac{3}{5}$ kg입니다. 바구니에 있는 사과와 귤은 모두 몇 kg일까요?

답 : _____kg

③ 민호는 저녁 $7\frac{7}{12}$ 시부터 '아프리카의 동물들'이라는 그림책을 $1\frac{7}{8}$ 시간 읽었습니다. 책을 읽고 난 후의 시각은 몇 시일까요?

답 : _____시

④ 빈 양동이에 들이가 각각 $2\frac{5}{7}$ L와 $1\frac{19}{21}$ L인 바가지에 물을 가득 담아 부었습니다. 양동이에 담긴 물은 모두 몇 L일까요?

답 : _____L

🐛 문제를 읽고 알맞은 답을 구하세요.

① 수박이 들어 있는 바구니의 무게가 $3\frac{2}{11}$ kg인데 수박을 빼고 바구니의 무게만 재어 보니 $\frac{7}{12}$ kg이었습니다. 수박의 무게는 몇 kg일까요?

답 : _____kg

② 민호네 어머니는 점심 식사를 준비하는 데 $6\frac{1}{24}$ 컵의 물을 사용하였고 저녁 식사 때는 점심 때보다 $1\frac{19}{32}$ 컵의 물을 덜 사용하였습니다. 민호네 어머니가 저녁 식사를 준비하는 데 사용한 물은 몇 컵일까요?

답 : _____컵

③ 철구는 어제 $8\frac{4}{15}$ 시간을 잤고 미진이는 $9\frac{9}{10}$ 시간을 잤습니다. 미진이는 철구보다 몇 시간의 잠을 더 잤을까요?

답 : _____시간

④ 전체 길이가 $6\frac{21}{40}$ m인 테이프에서 $2\frac{3}{16}$ m를 잘라 사용하였습니다. 남아 있는 테이프의 길이는 몇 m일까요?

답 : _____m

• **5**주차 •
세 분수의 덧셈과 뺄셈

세 분수의 덧셈과 뺄셈을 앞에서부터 순서대로 계산하는 방법과 세 분수를 모두 통분하는 방법을 모두 공부합니다. 실제로 계산할 때는 편리한 방법을 사용하도록 합니다. 소수를 분수로 고쳐서 분수와 소수가 섞여 있는 덧셈, 뺄셈 혼합 계산을 공부합니다.

세 진분수의 덧셈과 뺄셈

공부한 날   월   일

- 세 분수의 덧셈과 뺄셈은 앞에서부터 차례로 두 분수씩 통분하여 계산합니다.

$$\frac{2}{9} + \frac{2}{3} - \frac{1}{6} = \left(\frac{2}{9} + \frac{6}{9}\right) - \frac{1}{6} = \frac{8}{9} - \frac{1}{6} = \frac{16}{18} - \frac{3}{18} = \frac{13}{18}$$

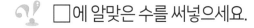 □에 알맞은 수를 써넣으세요.

① $\dfrac{3}{4} - \dfrac{1}{2} + \dfrac{2}{3} = \left(\dfrac{\square}{4} - \dfrac{\square}{4}\right) + \dfrac{2}{3} = \dfrac{\square}{4} + \dfrac{2}{3} = \dfrac{\square}{12} + \dfrac{\square}{12} = \dfrac{\square}{12}$

② $\dfrac{5}{8} - \dfrac{1}{4} - \dfrac{1}{6} = \left(\dfrac{\square}{\square} - \dfrac{\square}{\square}\right) - \dfrac{1}{6} = \dfrac{\square}{\square} - \dfrac{1}{6} = \dfrac{\square}{\square} - \dfrac{\square}{\square} = \dfrac{\square}{\square}$

③ $\dfrac{5}{6} - \dfrac{1}{4} + \dfrac{3}{8} = \left(\dfrac{\square}{\square} - \dfrac{\square}{\square}\right) + \dfrac{3}{8} = \dfrac{\square}{\square} + \dfrac{3}{8} = \dfrac{\square}{\square} + \dfrac{\square}{\square} = \dfrac{\square}{\square}$

④ $\dfrac{1}{2} + \dfrac{1}{3} - \dfrac{1}{4} = \left(\dfrac{\square}{\square} + \dfrac{\square}{\square}\right) - \dfrac{1}{4} = \dfrac{\square}{\square} - \dfrac{1}{4} = \dfrac{\square}{\square} - \dfrac{\square}{\square} = \dfrac{\square}{\square}$

⑤ $\dfrac{1}{5} + \dfrac{1}{2} + \dfrac{9}{10} = \left(\dfrac{\square}{\square} + \dfrac{\square}{\square}\right) + \dfrac{9}{10} = \dfrac{\square}{\square} + \dfrac{9}{10} = \dfrac{\square}{\square} = \square$

- 세 분수를 한꺼번에 통분한 다음 앞에서부터 분자끼리 차례로 계산하는 방법도 있습니다.

$$\frac{7}{8} - \frac{1}{2} + \frac{1}{4} = \frac{7}{8} - \frac{4}{8} + \frac{2}{8} = \frac{7 - 4 + 2}{8} = \frac{5}{8}$$

8, 2, 4의 최소공배수 : 8

☐에 알맞은 수를 써넣으세요.

① $\dfrac{3}{4} + \dfrac{1}{6} - \dfrac{1}{3} = \dfrac{\square}{12} + \dfrac{\square}{12} - \dfrac{\square}{12} = \dfrac{\square + \square - \square}{12} = \dfrac{\square}{12}$

② $\dfrac{11}{12} - \dfrac{1}{3} + \dfrac{3}{8} = \dfrac{\square}{\square} - \dfrac{\square}{\square} + \dfrac{\square}{\square} = \dfrac{\square - \square + \square}{\square} = \dfrac{\square}{\square}$

③ $\dfrac{2}{3} - \dfrac{1}{6} + \dfrac{7}{9} = \dfrac{\square}{\square} - \dfrac{\square}{\square} + \dfrac{\square}{\square} = \dfrac{\square - \square + \square}{\square} = \dfrac{\square}{\square} = \square$

④ $\dfrac{9}{10} - \dfrac{2}{5} - \dfrac{1}{4} = \dfrac{\square}{\square} - \dfrac{\square}{\square} - \dfrac{\square}{\square} = \dfrac{\square - \square - \square}{\square} = \dfrac{\square}{\square} = \dfrac{\square}{\square}$

⑤ $\dfrac{1}{2} + \dfrac{1}{3} + \dfrac{2}{5} = \dfrac{\square}{\square} + \dfrac{\square}{\square} + \dfrac{\square}{\square} = \dfrac{\square + \square + \square}{\square} = \dfrac{\square}{\square} = \square$

계산을 하세요.

$$\frac{1}{2}+\frac{5}{6}-\frac{2}{3}=\frac{3}{6}+\frac{5}{6}-\frac{4}{6}=\frac{4}{6}=\frac{2}{3}$$

또는 $\frac{1}{2}+\frac{5}{6}=\frac{8}{6}$, $\frac{8}{6}-\frac{4}{6}=\frac{2}{3}$

① $\dfrac{13}{18}-\dfrac{1}{6}-\dfrac{1}{3}=$

② $\dfrac{1}{14}+\dfrac{1}{2}-\dfrac{3}{7}=$

③ $\dfrac{1}{10}+\dfrac{3}{4}-\dfrac{2}{5}=$

④ $\dfrac{6}{7}-\dfrac{5}{21}-\dfrac{1}{42}=$

⑤ $\dfrac{1}{4}+\dfrac{3}{8}+\dfrac{3}{16}=$

⑥ $\dfrac{1}{2}-\dfrac{1}{3}+\dfrac{7}{8}=$

⑦ $\dfrac{14}{15}-\dfrac{5}{6}+\dfrac{3}{5}=$

⑧ $\dfrac{9}{10}+\dfrac{1}{6}-\dfrac{4}{5}=$

⑨ $\dfrac{2}{3}-\dfrac{1}{6}-\dfrac{1}{4}=$

⑩ $\dfrac{1}{3}+\dfrac{1}{2}+\dfrac{3}{5}=$

⑪ $\dfrac{7}{9}+\dfrac{4}{15}-\dfrac{7}{10}=$

⑫ $\dfrac{3}{8}+\dfrac{3}{5}+\dfrac{1}{20}=$

⑬ $\dfrac{9}{10}-\dfrac{22}{25}+\dfrac{3}{20}=$

세 대분수의 덧셈과 뺄셈

동영상 해설

- 세 대분수의 덧셈과 뺄셈도 같은 방법으로 계산합니다.

$$6\frac{5}{6} - 1\frac{2}{3} + 2\frac{1}{2} = \left(6\frac{5}{6} - 1\frac{4}{6}\right) + 2\frac{1}{2} = 5\frac{1}{6} + 2\frac{3}{6} = 7\frac{4}{6} = 7\frac{2}{3}$$

앞에서부터 차례로 두 분수씩 통분하여 계산합니다.

$$9\frac{1}{2} - 2\frac{7}{8} - 1\frac{1}{4} = (9 - 2 - 1) + \frac{4 - 7 - 2}{8} = 5 + \frac{8 + 4 - 7 - 2}{8} = 5\frac{3}{8}$$

9 - 2 - 1 = 6 · · · 6 - 1 = 5

한꺼번에 통분할 경우 자연수는 자연수끼리 분수는 분수끼리 계산합니다. 이때 분수의 뺄셈을 할 수 없는 경우에는 자연수에서 1을 받아내림합니다.

계산을 하세요.

$$3\frac{3}{4} + 2\frac{1}{6} - 1\frac{1}{2} = 4\frac{5}{12}$$

$$(3 + 2 - 1) + \frac{9 + 2 - 6}{12} = 4\frac{5}{12}$$

① $7\frac{7}{8} - 1\frac{1}{4} + \frac{1}{2} =$

② $1\frac{1}{9} + 2\frac{2}{3} + \frac{1}{6} =$

③ $9\frac{1}{2} - 2\frac{2}{3} - 3\frac{3}{4} =$

④ $2\frac{2}{5} + 4\frac{3}{10} - 1\frac{5}{6} =$

⑤ $3\frac{7}{12} - \frac{1}{8} + 2\frac{1}{6} =$

⑥ $8\frac{19}{28} - 5\frac{3}{14} + 3\frac{2}{7} =$

⑦ $6\frac{9}{20} - 1\frac{5}{8} + 1\frac{1}{10} =$

🎵 계산을 하세요.

① $1\dfrac{7}{10} + 1\dfrac{1}{4} + 6\dfrac{2}{5} =$

② $7\dfrac{1}{8} - 5\dfrac{5}{6} + 3\dfrac{1}{12} =$

③ $4\dfrac{1}{2} + 4\dfrac{5}{6} - 5\dfrac{4}{9} =$

④ $6\dfrac{2}{3} - 2\dfrac{5}{12} + 4\dfrac{7}{15} =$

⑤ $8\dfrac{2}{5} - 6\dfrac{1}{20} + 2\dfrac{1}{8} =$

⑥ $6\dfrac{1}{2} - 1\dfrac{1}{6} - 1\dfrac{1}{3} =$

⑦ $5\dfrac{10}{11} - 4\dfrac{5}{22} + 7\dfrac{10}{33} =$

⑧ $4\dfrac{7}{10} + 3\dfrac{11}{30} - 1\dfrac{1}{6} =$

⑨ $4\dfrac{2}{3} + 1\dfrac{2}{5} - 3\dfrac{3}{10} =$

⑩ $7\dfrac{7}{9} - 1\dfrac{1}{3} - 4\dfrac{5}{6} =$

⑪ $9\dfrac{20}{21} - 3\dfrac{1}{14} + 1\dfrac{3}{7} =$

⑫ $5\dfrac{11}{12} + 3\dfrac{5}{18} - 4\dfrac{4}{9} =$

⑬ $6\dfrac{7}{12} - 1\dfrac{8}{9} - 2\dfrac{3}{4} =$

⑭ $4\dfrac{7}{10} - 2\dfrac{2}{5} + 6\dfrac{1}{2} =$

세 분수의 덧셈과 뺄셈

계산을 하세요.

① $\dfrac{1}{3} + \dfrac{1}{6} + 1\dfrac{2}{9} =$

② $3\dfrac{1}{2} - 1\dfrac{5}{8} + \dfrac{5}{12} =$

③ $\dfrac{1}{4} + 2\dfrac{1}{6} - 2\dfrac{1}{3} =$

④ $4\dfrac{1}{5} + \dfrac{7}{12} - 3\dfrac{7}{15} =$

⑤ $\dfrac{5}{6} - \dfrac{7}{12} + 1\dfrac{3}{4} =$

⑥ $5\dfrac{3}{4} - \dfrac{1}{2} - \dfrac{7}{8} =$

⑦ $\dfrac{9}{10} + 3\dfrac{1}{12} + \dfrac{2}{3} =$

⑧ $3\dfrac{5}{12} + \dfrac{7}{30} - 2\dfrac{5}{6} =$

⑨ $\dfrac{4}{9} + 4\dfrac{2}{3} - 2\dfrac{5}{18} =$

⑩ $9\dfrac{1}{2} - 5\dfrac{2}{3} - \dfrac{3}{4} =$

⑪ $\dfrac{13}{15} + \dfrac{3}{5} - 1\dfrac{1}{3} =$

⑫ $\dfrac{8}{21} + 1\dfrac{2}{3} - \dfrac{5}{9} =$

⑬ $3\dfrac{1}{12} - \dfrac{3}{8} - \dfrac{4}{5} =$

⑭ $3\dfrac{7}{18} - 1\dfrac{3}{5} + \dfrac{2}{3} =$

문제를 읽고 알맞은 답을 구하세요.

① 페트병에 식혜 $\frac{9}{10}$ L가 들어 있었는데 민호가 $\frac{1}{5}$ L를 먹고 어머니가 $\frac{3}{20}$ L를 다시 채워 놓았습니다. 페트병에 남은 식혜는 몇 L일까요?

답 : _____ L

② 승혁이는 아침에 준비하는 시간이 얼마나 걸리는지 궁금해서 시간을 재보기로 했습니다. 이를 닦는 데에 $\frac{1}{12}$ 시간이 걸렸고 아침밥을 $\frac{1}{3}$ 시간 동안 먹은 뒤에 옷을 입고 나서 시간을 확인해 보니 전체 준비가 $\frac{8}{15}$ 시간 걸렸다는 것을 알았습니다. 옷을 입는 데 걸린 시간은 몇 시간일까요?

답 : _____ 시간

③ 길이가 $\frac{7}{9}$ m인 밧줄과 $\frac{5}{12}$ m인 밧줄 2개를 이어 놓았는데 잇는 부분에 사용한 길이가 모두 $\frac{1}{6}$ m입니다. 이어 놓은 밧줄의 길이는 몇 m일까요?

답 : _____ m

④ 두 개의 우유팩에 각각 $\frac{1}{3}$ L와 $\frac{1}{6}$ L의 우유가 들어 있습니다. 들이가 2 L인 병을 가득 채우려면 두 팩의 우유를 채우고 우유 몇 L가 더 필요할까요?

답 : _____ L

문제를 읽고 알맞은 답을 구하세요.

① 수박과 참외가 하나씩 있는 바구니의 무게가 $4\frac{7}{10}$ kg인데 수박은 $3\frac{1}{6}$ kg, 참외는 $\frac{3}{5}$ kg입니다. 빈 바구니의 무게는 몇 kg일까요?

답 : _____ kg

② 소금 $2\frac{3}{8}$ 스푼과 고춧가루 $6\frac{7}{20}$ 스푼을 섞어서 요리에 사용하려고 하는데 양이 많은 것 같아 $1\frac{9}{10}$ 스푼을 덜어냈습니다. 요리에 사용할 소금과 고춧가루는 몇 스푼일까요?

답 : _____ 스푼

③ 영철이네 집에서 문구점까지는 $1\frac{1}{3}$ km이고 문구점에서 학교까지는 $2\frac{2}{9}$ km입니다. 문구점을 거치지 않고 학교까지 가는 거리는 $2\frac{1}{2}$ km일 때, 문구점을 거쳐서 가는 거리보다 몇 km가 더 가까울까요?

답 : _____ km

④ 무게가 $1\frac{9}{16}$ kg인 필통이 들어 있는 가방의 무게가 $5\frac{7}{8}$ kg입니다. 필통을 빼고 빈 가방에 무게가 $2\frac{1}{4}$ kg인 책을 넣으면 가방은 몇 kg일까요?

답 : _____ kg

다음과 같이 소수를 기약분수와 대분수로 나타내세요.

$$0.8 = \frac{8}{10} = \frac{4}{5} \qquad 0.25 = \frac{25}{100} = \frac{1}{4} \qquad 1.24 = 1\frac{24}{100} = 1\frac{6}{25}$$

① 0.2 =

② 0.5 =

③ 0.8 =

④ 1.4 =

⑤ 2.5 =

⑥ 3.2 =

⑦ 1.5 =

⑧ 3.1 =

⑨ 3.6 =

⑩ 0.75 =

⑪ 0.45 =

⑫ 0.85 =

⑬ 1.25 =

⑭ 2.35 =

⑮ 4.68 =

⑯ 3.36 =

⑰ 1.76 =

⑱ 2.04 =

- 분수와 소수의 덧셈과 뺄셈은 소수를 기약분수로 바꾼 다음 계산하면 됩니다.

$$0.6 + \frac{7}{15} = \frac{\overset{3}{\cancel{6}}}{\underset{5}{\cancel{10}}} + \frac{7}{15} = \frac{3}{5} + \frac{7}{15} = \frac{16}{15} = 1\frac{1}{15}$$

$$2.35 - 1\frac{1}{4} = 2\frac{\overset{7}{\cancel{35}}}{\underset{20}{\cancel{100}}} - 1\frac{1}{4} = 2\frac{7}{20} - 1\frac{1}{4} = 1\frac{\overset{1}{\cancel{2}}}{\underset{10}{\cancel{20}}} = 1\frac{1}{10}$$

□에 알맞은 수를 써넣으세요.

① $\dfrac{3}{5} + 0.2 = \dfrac{3}{5} + \dfrac{\Box}{10} = \dfrac{3}{5} + \dfrac{\Box}{5} = \dfrac{\Box}{\Box}$

② $3.6 + \dfrac{1}{2} = 3\dfrac{\Box}{10} + \dfrac{1}{2} = 3\dfrac{\Box}{5} + \dfrac{1}{2} = \Box\dfrac{\Box}{\Box}$

③ $5\dfrac{1}{8} - 1.25 = 5\dfrac{1}{8} - 1\dfrac{\Box}{100} = 5\dfrac{1}{8} - 1\dfrac{\Box}{4} = \Box\dfrac{\Box}{\Box}$

④ $8.5 - 5\dfrac{1}{7} = 8\dfrac{\Box}{10} - 5\dfrac{1}{7} = 8\dfrac{\Box}{2} - 5\dfrac{1}{7} = \Box\dfrac{\Box}{\Box}$

계산을 하세요.

$0.8 + \dfrac{2}{3} = \dfrac{4}{5} + \dfrac{2}{3} = \dfrac{22}{15} = 1\dfrac{7}{15}$

① $0.25 - \dfrac{1}{8} =$

② $\dfrac{2}{5} + 0.7 =$

③ $\dfrac{3}{4} - 0.4 =$

④ $\dfrac{11}{12} + 0.75 =$

⑤ $\dfrac{13}{20} - 0.4 =$

⑥ $0.05 + \dfrac{7}{8} =$

⑦ $0.85 - \dfrac{2}{5} =$

⑧ $1\dfrac{3}{10} + 4.8 =$

⑨ $7\dfrac{1}{4} - 3.5 =$

⑩ $4\dfrac{2}{15} + 1.2 =$

⑪ $9.75 - 3\dfrac{1}{2} =$

⑫ $7.04 + \dfrac{1}{10} =$

⑬ $5.5 - 2\dfrac{7}{8} =$

- 분수와 소수의 혼합 계산은 소수를 모두 기약분수로 바꾸어 계산합니다.

$$5.7 + \frac{1}{2} - 2\frac{3}{5} = 5\frac{7}{10} + \frac{1}{2} - 2\frac{3}{5} = 6\frac{1}{5} - 2\frac{3}{5} = 3\frac{3}{5}$$

계산을 하세요.

① $\dfrac{3}{8} + \dfrac{1}{2} - 0.25 =$

② $\dfrac{3}{5} + \dfrac{1}{2} - 0.15 =$

③ $\dfrac{5}{6} - 0.5 + \dfrac{1}{3} =$

④ $\dfrac{7}{8} - 0.5 - \dfrac{1}{4} =$

⑤ $\dfrac{3}{5} + 0.7 + \dfrac{1}{20} =$

⑥ $6\dfrac{2}{5} + 1\dfrac{5}{6} + 1.1 =$

⑦ $2\dfrac{2}{15} + 2\dfrac{1}{6} - 0.1 =$

⑧ $8\dfrac{1}{9} - 2.5 - 1\dfrac{1}{6} =$

⑨ $7.45 - 2\dfrac{1}{8} - 2\dfrac{3}{5} =$

⑩ $\dfrac{6}{7} - 0.8 + \dfrac{19}{35} =$

계산을 하세요.

$$\frac{3}{5} + 0.7 + \frac{1}{2} =$$

$$\frac{3}{5} + \frac{7}{10} + \frac{1}{2} = \frac{6}{10} + \frac{7}{10} + \frac{5}{10} = 1\frac{4}{5}$$

① $0.2 + \frac{3}{4} - \frac{2}{5} =$

② $\frac{3}{8} + \frac{5}{6} - 0.25 =$

③ $\frac{9}{10} - 0.48 - \frac{1}{50} =$

④ $0.85 + \frac{2}{5} - \frac{3}{4} =$

⑤ $\frac{7}{8} - \frac{1}{5} + 0.1 =$

⑥ $0.25 + \frac{5}{6} + \frac{1}{2} =$

⑦ $\frac{7}{10} + \frac{1}{2} - 0.6 =$

⑧ $9.5 - 2\frac{3}{4} + 3\frac{1}{6} =$

⑨ $0.75 - \frac{1}{6} - \frac{9}{30} =$

⑩ $7\frac{4}{5} - 1\frac{7}{15} - 2.3 =$

⑪ $4.88 + 2\frac{17}{50} - 5\frac{9}{10} =$

⑫ $3\frac{5}{8} + 1.95 - 1\frac{3}{5} =$

⑬ $7\frac{2}{7} - 6\frac{9}{14} + 4.25 =$

• **6**주차 •
도전! 계산왕

1일 ❶ 분모가 다른 대분수의 덧셈과 뺄셈

계산을 하세요.

① $2\frac{3}{4} + 1\frac{2}{5} =$

② $3\frac{3}{4} - 1\frac{2}{3} =$

③ $3\frac{2}{3} + 1\frac{5}{6} =$

④ $6\frac{3}{5} - 2\frac{4}{15} =$

⑤ $3\frac{1}{4} + 4\frac{5}{7} =$

⑥ $4\frac{3}{5} - 1\frac{3}{7} =$

⑦ $2\frac{1}{2} + 2\frac{6}{11} =$

⑧ $5\frac{6}{11} - 2\frac{1}{4} =$

⑨ $1\frac{23}{45} + 4\frac{6}{15} =$

⑩ $3\frac{6}{25} - 1\frac{13}{30} =$

⑪ $3\frac{2}{3} + 1\frac{14}{15} + 3\frac{1}{6} =$

⑫ $2\frac{1}{2} + \frac{2}{3} - 1\frac{5}{6} =$

⑬ $5\frac{2}{3} - 2\frac{17}{18} + 3\frac{5}{24} =$

⑭ $6\frac{4}{21} - 2\frac{3}{7} - 3\frac{1}{12} =$

1일 ❷ 분모가 다른 대분수의 덧셈과 뺄셈

계산을 하세요.

① $2\frac{1}{2} + 1\frac{5}{9} =$

② $4\frac{1}{3} - 1\frac{7}{10} =$

③ $2\frac{3}{10} + 3\frac{5}{6} =$

④ $6\frac{1}{2} - 4\frac{3}{5} =$

⑤ $4\frac{7}{9} + 1\frac{5}{7} =$

⑥ $2\frac{2}{15} - 1\frac{5}{7} =$

⑦ $1\frac{4}{7} + 4\frac{1}{10} =$

⑧ $5\frac{9}{10} - 3\frac{1}{6} =$

⑨ $2\frac{5}{24} + 2\frac{7}{18} =$

⑩ $7\frac{5}{14} - 5\frac{5}{12} =$

⑪ $1\frac{3}{14} + 2\frac{5}{6} + \frac{2}{7} =$

⑫ $5\frac{3}{5} + 1\frac{2}{3} - 1\frac{5}{8} =$

⑬ $8\frac{1}{8} - \frac{13}{20} + \frac{3}{10} =$

⑭ $6\frac{1}{8} - 1\frac{1}{24} - 3\frac{1}{9} =$

2일 ① 분모가 다른 대분수의 덧셈과 뺄셈

계산을 하세요.

① $2\dfrac{1}{4} + 4\dfrac{5}{6} =$

② $3\dfrac{5}{6} - 1\dfrac{1}{7} =$

③ $1\dfrac{5}{9} + 1\dfrac{2}{7} =$

④ $7\dfrac{2}{3} - 3\dfrac{9}{10} =$

⑤ $4\dfrac{1}{6} + 4\dfrac{7}{9} =$

⑥ $4\dfrac{1}{10} - 1\dfrac{4}{5} =$

⑦ $1\dfrac{5}{7} + 3\dfrac{5}{12} =$

⑧ $5\dfrac{5}{8} - 1\dfrac{10}{11} =$

⑨ $1\dfrac{8}{15} + 1\dfrac{9}{16} =$

⑩ $6\dfrac{7}{9} - 4\dfrac{9}{14} =$

⑪ $1\dfrac{2}{3} + 5\dfrac{1}{2} + 2\dfrac{1}{6} =$

⑫ $\dfrac{2}{7} + 6\dfrac{3}{4} - 3\dfrac{5}{14} =$

⑬ $6\dfrac{3}{10} - 2\dfrac{7}{8} + \dfrac{5}{12} =$

⑭ $6\dfrac{1}{6} - 1\dfrac{17}{30} - 3\dfrac{1}{10} =$

2일 ❷ 분모가 다른 대분수의 덧셈과 뺄셈

계산을 하세요.

① $2\dfrac{5}{8} + 4\dfrac{3}{10} =$

② $3\dfrac{1}{6} - 1\dfrac{1}{2} =$

③ $4\dfrac{2}{7} + 5\dfrac{2}{5} =$

④ $5\dfrac{5}{7} - 2\dfrac{1}{9} =$

⑤ $1\dfrac{4}{9} + 1\dfrac{7}{15} =$

⑥ $7\dfrac{1}{7} - 3\dfrac{1}{5} =$

⑦ $3\dfrac{4}{13} + 5\dfrac{5}{6} =$

⑧ $9\dfrac{3}{10} - 6\dfrac{5}{6} =$

⑨ $5\dfrac{2}{15} + 2\dfrac{1}{8} =$

⑩ $4\dfrac{2}{13} - 2\dfrac{2}{3} =$

⑪ $1\dfrac{1}{4} + \dfrac{14}{15} + 2\dfrac{7}{30} =$

⑫ $3\dfrac{1}{4} + 6\dfrac{4}{5} - 5\dfrac{5}{6} =$

⑬ $2\dfrac{5}{8} - 1\dfrac{8}{15} + 7\dfrac{1}{6} =$

⑭ $7\dfrac{5}{14} - \dfrac{4}{21} - 3\dfrac{1}{6} =$

분모가 다른 대분수의 덧셈과 뺄셈

🌱 계산을 하세요.

① $2\frac{1}{2} + 1\frac{4}{7} =$

② $3\frac{1}{9} - 1\frac{5}{6} =$

③ $3\frac{1}{2} + 1\frac{1}{3} =$

④ $4\frac{7}{9} - 3\frac{2}{5} =$

⑤ $2\frac{9}{10} + 5\frac{1}{8} =$

⑥ $5\frac{3}{5} - 2\frac{3}{8} =$

⑦ $3\frac{4}{13} + 3\frac{4}{7} =$

⑧ $8\frac{3}{8} - 3\frac{4}{7} =$

⑨ $1\frac{2}{9} + 4\frac{1}{6} =$

⑩ $4\frac{5}{6} - 1\frac{5}{12} =$

⑪ $3\frac{1}{5} + 1\frac{7}{30} + 4\frac{11}{15} =$

⑫ $1\frac{2}{3} + \frac{1}{9} - 1\frac{3}{4} =$

⑬ $2\frac{1}{6} - \frac{19}{36} + 3\frac{3}{4} =$

⑭ $6\frac{3}{4} - 3\frac{1}{20} - 2\frac{1}{30} =$

분모가 다른 대분수의 덧셈과 뺄셈

💡 계산을 하세요.

① $2\dfrac{2}{7} + 1\dfrac{1}{3} =$

② $4\dfrac{3}{4} - 3\dfrac{1}{3} =$

③ $3\dfrac{3}{10} + 1\dfrac{2}{3} =$

④ $5\dfrac{3}{5} - 1\dfrac{1}{8} =$

⑤ $6\dfrac{3}{5} + 1\dfrac{5}{11} =$

⑥ $4\dfrac{1}{6} - 1\dfrac{7}{8} =$

⑦ $4\dfrac{4}{9} + 1\dfrac{5}{6} =$

⑧ $6\dfrac{5}{8} - 2\dfrac{5}{7} =$

⑨ $2\dfrac{2}{15} + 2\dfrac{2}{7} =$

⑩ $3\dfrac{1}{2} - 1\dfrac{1}{12} =$

⑪ $2\dfrac{1}{6} + 2\dfrac{3}{5} + 1\dfrac{9}{20} =$

⑫ $4\dfrac{1}{5} + 2\dfrac{1}{2} - \dfrac{1}{5} =$

⑬ $3 - 2\dfrac{2}{11} + 2\dfrac{1}{11} =$

⑭ $7\dfrac{7}{8} - 4\dfrac{5}{32} - 2\dfrac{5}{16} =$

분모가 다른 대분수의 덧셈과 뺄셈

계산을 하세요.

① $1\dfrac{5}{8} + 1\dfrac{7}{10} =$

② $3\dfrac{1}{4} - 1\dfrac{1}{7} =$

③ $2\dfrac{3}{4} + 5\dfrac{4}{9} =$

④ $4\dfrac{4}{5} - 2\dfrac{5}{9} =$

⑤ $5\dfrac{11}{12} + 2\dfrac{1}{8} =$

⑥ $5\dfrac{8}{11} - 1\dfrac{2}{9} =$

⑦ $3\dfrac{4}{7} + 3\dfrac{4}{11} =$

⑧ $4\dfrac{4}{9} - 1\dfrac{1}{13} =$

⑨ $3\dfrac{2}{15} + 1\dfrac{4}{5} =$

⑩ $4\dfrac{1}{6} - 1\dfrac{9}{10} =$

⑪ $3\dfrac{1}{6} + \dfrac{11}{12} + 2\dfrac{5}{8} =$

⑫ $5\dfrac{2}{3} + 1\dfrac{5}{9} - 1\dfrac{8}{21} =$

⑬ $3\dfrac{4}{15} - 1\dfrac{2}{9} + \dfrac{13}{20} =$

⑭ $6\dfrac{3}{8} - \dfrac{23}{28} - 2\dfrac{5}{16} =$

분모가 다른 대분수의 덧셈과 뺄셈

계산을 하세요.

① $1\dfrac{9}{10} + 2\dfrac{5}{6} =$

② $3\dfrac{5}{6} - 1\dfrac{1}{8} =$

③ $3\dfrac{7}{12} + 1\dfrac{3}{5} =$

④ $4\dfrac{1}{2} - 1\dfrac{3}{5} =$

⑤ $1\dfrac{11}{12} + 1\dfrac{5}{6} =$

⑥ $6\dfrac{4}{7} - 4\dfrac{2}{5} =$

⑦ $5\dfrac{4}{9} + 2\dfrac{4}{15} =$

⑧ $4\dfrac{3}{8} - 1\dfrac{4}{15} =$

⑨ $1\dfrac{3}{10} + 3\dfrac{5}{12} =$

⑩ $4\dfrac{2}{7} - 3\dfrac{3}{8} =$

⑪ $3\dfrac{7}{12} + \dfrac{2}{5} + 1\dfrac{9}{20} =$

⑫ $5\dfrac{7}{15} + \dfrac{2}{5} - 1\dfrac{5}{9} =$

⑬ $5\dfrac{1}{2} - 2\dfrac{11}{12} + 3\dfrac{5}{6} =$

⑭ $6\dfrac{4}{7} - 4\dfrac{1}{14} - 1\dfrac{8}{21} =$

계산을 하세요.

① $3\dfrac{3}{10} + 3\dfrac{1}{3} =$

② $5\dfrac{1}{2} - 2\dfrac{6}{7} =$

③ $1\dfrac{3}{10} + 2\dfrac{3}{4} =$

④ $4\dfrac{8}{9} - 1\dfrac{1}{2} =$

⑤ $2\dfrac{4}{7} + 1\dfrac{5}{12} =$

⑥ $4\dfrac{8}{15} - 2\dfrac{5}{6} =$

⑦ $3\dfrac{4}{11} + 1\dfrac{9}{10} =$

⑧ $8\dfrac{4}{15} - 3\dfrac{5}{6} =$

⑨ $2\dfrac{5}{12} + 1\dfrac{6}{11} =$

⑩ $5\dfrac{2}{7} - 2\dfrac{7}{15} =$

⑪ $2\dfrac{5}{14} + \dfrac{3}{4} + 1\dfrac{9}{16} =$

⑫ $\dfrac{1}{8} + 4\dfrac{13}{16} - 3\dfrac{5}{12} =$

⑬ $4\dfrac{4}{5} - 2\dfrac{8}{15} + 1\dfrac{7}{18} =$

⑭ $6\dfrac{1}{6} - 3\dfrac{8}{15} - 2\dfrac{9}{16} =$

분모가 다른 대분수의 덧셈과 뺄셈

🐰 계산을 하세요.

① $4\dfrac{5}{8} + 1\dfrac{3}{5} =$

② $4\dfrac{4}{5} - 2\dfrac{5}{8} =$

③ $1\dfrac{5}{6} + 2\dfrac{3}{8} =$

④ $3\dfrac{3}{10} - 1\dfrac{5}{6} =$

⑤ $4\dfrac{1}{9} + 2\dfrac{4}{11} =$

⑥ $5\dfrac{2}{11} - 1\dfrac{4}{5} =$

⑦ $1\dfrac{5}{8} + 1\dfrac{7}{10} =$

⑧ $7\dfrac{1}{2} - 2\dfrac{4}{7} =$

⑨ $2\dfrac{5}{6} + 3\dfrac{3}{14} =$

⑩ $3\dfrac{2}{9} - 1\dfrac{7}{12} =$

⑪ $2\dfrac{1}{4} + 2\dfrac{7}{12} + \dfrac{5}{8} =$

⑫ $5\dfrac{2}{3} + 1\dfrac{8}{15} - 1\dfrac{9}{10} =$

⑬ $6\dfrac{4}{15} - \dfrac{5}{6} + 1\dfrac{2}{9} =$

⑭ $6\dfrac{4}{9} - 3\dfrac{5}{8} - 1\dfrac{11}{12} =$

우리 아이 첫 수학은
유자수 가 답이다

보드마카와
붙임 딱지로
즐겁게

내 아이에게
딱 맞는
엄마표 문제

재미있게
스스로
반복학습

방송에서 **화제가 된 바로 그 교재!**

생각과 자신감이 커지는 유아 자신감 수학!

실력도 탑! 재미도 탑!

사고력 수학의 으뜸!

TOP 사고력 수학

| 6~7세 | 7~8세 | 초1~2학년 | 초2~3학년 |

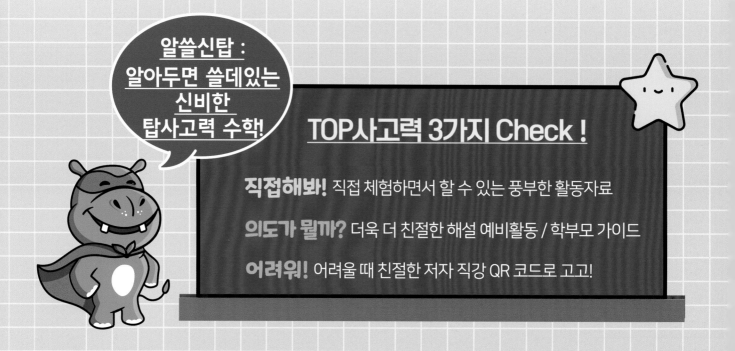

알쓸신탑 :
알아두면 쓸데있는
신비한
탑사고력 수학!

TOP사고력 3가지 Check !

직접해봐! 직접 체험하면서 할 수 있는 풍부한 활동자료

의도가 뭘까? 더욱 더 친절한 해설 예비활동 / 학부모 가이드

어려워! 어려울 때 친절한 저자 직강 QR 코드로 고고!

초등 | 수학 전문가가 만든 **연산 교재**

원리셈

천종현 지음

 정답

5학년 ③

분모가 다른 분수의 덧셈과 뺄셈

천종현수학연구소

10쪽

① $\dfrac{2}{6}$, $\dfrac{4}{12}$

② $\dfrac{1}{2}$, $\dfrac{2}{4}$, $\dfrac{4}{8}$

③ $\dfrac{3}{4}$, $\dfrac{6}{8}$, $\dfrac{12}{16}$

④ $\dfrac{1}{2}$ ⑤ $\dfrac{1}{3}$

$\dfrac{3}{6}$ $\dfrac{2}{6}$

$\dfrac{5}{10}$ $\dfrac{3}{9}$

11쪽

① $\dfrac{6}{10}$ ② $\dfrac{3}{4}$

③ $\dfrac{3}{21}$ ④ $\dfrac{1}{6}$

⑤ $\dfrac{48}{54}$ ⑥ $\dfrac{8}{12}$

⑦ $\dfrac{10}{24}$ ⑧ $\dfrac{5}{8}$

12쪽

① 2, 12   ② 18, 4

③ 3, 30   ④ 6, 12

⑤ 9, 30   ⑥ 9, 8

⑦ 15, 48   ⑧ 6, 2

⑨ 35, 70   ⑩ 8, 5

⑪ 10, 84   ⑫ 15, 4

⑬ 33, 80   ⑭ 10, 3

13쪽

| ⟨$\frac{1}{8}$⟩ | $\frac{8}{12}$ | ⟨$\frac{11}{15}$⟩ | ⟨$\frac{4}{19}$⟩ | $\frac{9}{24}$ |

| $\frac{4}{6}$ | ⟨$\frac{7}{10}$⟩ | $\frac{6}{15}$ | $\frac{18}{32}$ | $\frac{49}{56}$ |

| ⟨$\frac{3}{7}$⟩ | ⟨$\frac{9}{14}$⟩ | ⟨$\frac{16}{27}$⟩ | ⟨$\frac{9}{35}$⟩ | ⟨$\frac{17}{60}$⟩ |

| ⟨$\frac{1}{9}$⟩ | $\frac{2}{14}$ | $\frac{11}{22}$ | ⟨$\frac{13}{16}$⟩ | $\frac{39}{91}$ |

| $\frac{3}{9}$ | $\frac{4}{12}$ | $\frac{5}{20}$ | ⟨$\frac{14}{61}$⟩ | $\frac{17}{51}$ |

14쪽

① $\dfrac{2}{3}$

② $\dfrac{3}{4}$ ③ $\dfrac{1}{5}$

④ $\dfrac{3}{4}$ ⑤ $\dfrac{1}{3}$

⑥ $\dfrac{3}{4}$ ⑦ $\dfrac{8}{9}$

⑧ $\dfrac{25}{32}$ ⑨ $\dfrac{1}{2}$

⑩ $\dfrac{2}{3}$ ⑪ $\dfrac{1}{4}$

⑫ $\dfrac{1}{9}$ ⑬ $\dfrac{1}{3}$

15쪽

① $\dfrac{2}{5}$ ② $\dfrac{5}{7}$

③ $\dfrac{1}{3}$ ④ $\dfrac{1}{2}$ ⑤ $\dfrac{1}{6}$

⑥ $\dfrac{5}{9}$ ⑦ $\dfrac{3}{8}$ ⑧ $\dfrac{9}{16}$

⑨ $\dfrac{3}{4}$ ⑩ $\dfrac{5}{13}$ ⑪ $\dfrac{1}{3}$

⑫ $\dfrac{24}{47}$ ⑬ $\dfrac{3}{4}$ ⑭ $\dfrac{3}{13}$

⑮ $\dfrac{1}{2}$ ⑯ $\dfrac{4}{11}$ ⑰ $\dfrac{7}{9}$

⑱ $\dfrac{3}{4}$ ⑲ $\dfrac{1}{2}$ ⑳ $\dfrac{1}{3}$

16쪽

① 4, 15   ② 16, 6

③ 18, 44   ④ 16, 15

⑤ 6, 63   ⑥ 28, 39

17쪽

① $\dfrac{18}{24}$, $\dfrac{4}{24}$ ② $\dfrac{10}{16}$, $\dfrac{8}{16}$

③ $\dfrac{25}{35}$, $\dfrac{14}{35}$ ④ $\dfrac{9}{54}$, $\dfrac{48}{54}$

⑤ $\dfrac{20}{32}$, $\dfrac{24}{32}$ ⑥ $\dfrac{10}{20}$, $\dfrac{14}{20}$

⑦ $\dfrac{75}{90}$, $\dfrac{48}{90}$ ⑧ $\dfrac{18}{24}$, $\dfrac{16}{24}$

⑨ $\dfrac{55}{60}$, $\dfrac{48}{60}$ ⑩ $\dfrac{12}{27}$, $\dfrac{9}{27}$

⑪ $\dfrac{15}{150}$, $\dfrac{130}{150}$ ⑫ $\dfrac{60}{135}$, $\dfrac{63}{135}$

⑬ $\dfrac{80}{192}$, $\dfrac{36}{192}$ ⑭ $\dfrac{90}{140}$, $\dfrac{126}{140}$

18쪽

① $\dfrac{1}{6}$, $\dfrac{3}{6}$ ② $\dfrac{15}{40}$, $\dfrac{36}{40}$

③ $\dfrac{16}{36}$, $\dfrac{15}{36}$ ④ $\dfrac{14}{35}$, $\dfrac{15}{35}$

⑤ $\dfrac{12}{16}$, $\dfrac{3}{16}$ ⑥ $\dfrac{33}{60}$, $\dfrac{35}{60}$

⑦ $\dfrac{5}{30}$, $\dfrac{16}{30}$ ⑧ $\dfrac{15}{20}$, $\dfrac{6}{20}$

⑨ $\dfrac{12}{30}$, $\dfrac{17}{30}$ ⑩ $\dfrac{7}{56}$, $\dfrac{36}{56}$

⑪ $\dfrac{33}{36}$, $\dfrac{13}{36}$ ⑫ $\dfrac{9}{63}$, $\dfrac{49}{63}$

⑬ $\dfrac{9}{30}$, $\dfrac{25}{30}$ ⑭ $\dfrac{34}{40}$, $\dfrac{25}{40}$

$\dfrac{4}{8}$	$\dfrac{1}{2}$	$\dfrac{8}{16}$	$\dfrac{16}{40}$	$\dfrac{30}{80}$	$\dfrac{60}{120}$
$\dfrac{15}{18}$	$\dfrac{2}{3}$	$\dfrac{5}{6}$	$\dfrac{30}{48}$	$\dfrac{45}{54}$	$\dfrac{50}{72}$
$\dfrac{20}{24}$	$\dfrac{5}{6}$	$\dfrac{6}{10}$	$\dfrac{10}{12}$	$\dfrac{65}{75}$	$\dfrac{100}{120}$
$\dfrac{10}{15}$	$\dfrac{1}{2}$	$\dfrac{2}{3}$	$\dfrac{20}{30}$	$\dfrac{60}{90}$	$\dfrac{120}{150}$
$\dfrac{5}{35}$	$\dfrac{1}{5}$	$\dfrac{1}{7}$	$\dfrac{12}{70}$	$\dfrac{15}{100}$	$\dfrac{20}{140}$
$\dfrac{24}{80}$	$\dfrac{3}{10}$	$\dfrac{12}{30}$	$\dfrac{12}{40}$	$\dfrac{46}{160}$	$\dfrac{124}{180}$
$\dfrac{25}{60}$	$\dfrac{3}{4}$	$\dfrac{16}{30}$	$\dfrac{5}{12}$	$\dfrac{100}{180}$	$\dfrac{60}{120}$

① 8, 14　② 15, 5

③ 4, 9　④ 16, 22

⑤ 7, 5　⑥ 8, 15

⑦ 4, 6　⑧ 8, 45

① $\dfrac{18}{42}$, $\dfrac{21}{49}$

② $\dfrac{35}{63}$, $\dfrac{40}{72}$, $\dfrac{45}{81}$

③ $\dfrac{11}{33}$, $\dfrac{12}{36}$, $\dfrac{13}{39}$

④ $\dfrac{26}{52}$, $\dfrac{27}{54}$, $\dfrac{28}{56}$, $\dfrac{29}{58}$

⑤ $\dfrac{14}{30}$, $\dfrac{21}{45}$

① >　② >　③ <

④ <　⑤ >　⑥ >

⑦ >　⑧ <　⑨ >

⑩ >　⑪ <　⑫ >

⑬ <　⑭ >　⑮ <

① >　② <　③ >

④ <　⑤ >　⑥ <

⑦ <　⑧ =　⑨ <

⑩ >　⑪ >　⑫ >

⑬ <　⑭ <　⑮ <

$\dfrac{7}{8}$	$\dfrac{8}{9}$		$\dfrac{3}{8}$	$\dfrac{2}{7}$		$\dfrac{4}{11}$	$\dfrac{3}{7}$
$\dfrac{4}{5}$	$\dfrac{7}{10}$		$\dfrac{7}{9}$	$\dfrac{2}{3}$		$\dfrac{1}{2}$	$\dfrac{8}{15}$
$\dfrac{5}{12}$	$\dfrac{2}{5}$		$\dfrac{9}{20}$	$\dfrac{5}{8}$		$\dfrac{2}{9}$	$\dfrac{3}{14}$
$\dfrac{1}{2}$	$\dfrac{13}{25}$		$\dfrac{7}{17}$	$\dfrac{4}{9}$		$\dfrac{3}{11}$	$\dfrac{5}{18}$

2주차 - 분모가 다른 진분수의 덧셈과 뺄셈

① 4, 3, 7

② 1, 4, 5

③ 12, 5, 17

④ 4, 3, 7

① 3, 2, 3, 2, 5

② 3, 10, 21, 20, 41, 1, 11

③ $\dfrac{4}{4}$, $\dfrac{5}{5}$, $\dfrac{8}{20}$, $\dfrac{5}{20}$, $\dfrac{13}{20}$

④ $\dfrac{8}{8}$, $\dfrac{6}{6}$, $\dfrac{8}{48}$, $\dfrac{42}{48}$, $\dfrac{50}{48}$, $\dfrac{25}{24}$, $1\dfrac{1}{24}$

① $\dfrac{5}{5}$, $\dfrac{8}{8}$, $\dfrac{15}{40}$, $\dfrac{24}{40}$, $\dfrac{39}{40}$

② $\dfrac{3}{3}$, $\dfrac{7}{7}$, $\dfrac{6}{21}$, $\dfrac{7}{21}$, $\dfrac{13}{21}$

③ $\dfrac{2}{2}$, $\dfrac{5}{5}$, $\dfrac{8}{10}$, $\dfrac{5}{10}$, $\dfrac{13}{10}$, $1\dfrac{3}{10}$

④ $\dfrac{4}{4}$, $\dfrac{9}{9}$, $\dfrac{16}{36}$, $\dfrac{27}{36}$, $\dfrac{43}{36}$, $1\dfrac{7}{36}$

⑤ $\dfrac{3}{3}$, $\dfrac{9}{9}$, $\dfrac{21}{27}$, $\dfrac{9}{27}$, $\dfrac{30}{27}$, $\dfrac{10}{9}$, $1\dfrac{1}{9}$

⑥ $\dfrac{3}{3}$, $\dfrac{12}{12}$, $\dfrac{33}{36}$, $\dfrac{24}{36}$, $\dfrac{57}{36}$, $\dfrac{19}{12}$, $1\dfrac{7}{12}$

⑦ $\dfrac{6}{6}$, $\dfrac{12}{12}$, $\dfrac{30}{72}$, $\dfrac{60}{72}$, $\dfrac{90}{72}$, $\dfrac{5}{4}$, $1\dfrac{1}{4}$

① $1\dfrac{1}{4}$　⑧ $\dfrac{37}{60}$　⑨ $\dfrac{31}{36}$

② $1\dfrac{8}{15}$　③ $\dfrac{13}{21}$　⑩ $1\dfrac{5}{22}$　⑪ $\dfrac{7}{30}$

④ $\dfrac{9}{10}$　⑤ $1\dfrac{25}{88}$　⑫ $1\dfrac{11}{60}$　⑬ $\dfrac{39}{40}$

⑥ $\dfrac{32}{35}$　⑦ $1\dfrac{13}{20}$

① 2, 4, 5

② 4, 3, 28, 15, 43, 1, 7

③ $\frac{5}{5}$, 2, $\frac{15}{40}$, $\frac{26}{40}$, $\frac{41}{40}$, $1\frac{1}{40}$

④ $\frac{2}{2}$, 5, $\frac{6}{20}$, $\frac{15}{20}$, $\frac{21}{20}$, $1\frac{1}{20}$

① $\frac{2}{2}$, 3, $\frac{2}{18}$, $\frac{3}{18}$, $\frac{5}{18}$

② $\frac{3}{3}$, $\frac{2}{9}$, $\frac{3}{9}$, $\frac{2}{9}$, $\frac{5}{9}$

③ $\frac{4}{4}$, 5, $\frac{4}{40}$, $\frac{15}{40}$, $\frac{19}{40}$

④ $\frac{4}{4}$, 3, $\frac{4}{12}$, $\frac{9}{12}$, $\frac{13}{12}$, $1\frac{1}{12}$

⑤ $\frac{3}{3}$, $\frac{17}{21}$, $\frac{9}{21}$, $\frac{17}{21}$, $\frac{26}{21}$, $1\frac{5}{21}$

⑥ $\frac{3}{3}$, 2, $\frac{21}{30}$, $\frac{16}{30}$, $\frac{37}{30}$, $1\frac{7}{30}$

⑦ $\frac{2}{2}$, 3, $\frac{26}{48}$, $\frac{45}{48}$, $\frac{71}{48}$, $1\frac{23}{48}$

① $\frac{7}{8}$

② $1\frac{2}{35}$　③ $\frac{11}{12}$

④ $1\frac{1}{6}$　⑤ $1\frac{2}{15}$

⑥ $1\frac{33}{56}$　⑦ $1\frac{5}{36}$

⑧ $1\frac{1}{60}$　⑨ $1\frac{13}{33}$

⑩ $\frac{26}{35}$　⑪ $\frac{11}{70}$

⑫ $1\frac{29}{78}$　⑬ $\frac{39}{64}$

① 3, 2, 1　③ 5, 2, 3

② 3, 2, 1　④ 7, 2, 5

① 3, 9, 21, 9, 12, $\frac{4}{9}$

② 4, 6, 20, 18, 2, $\frac{1}{12}$

③ $\frac{5}{5}$, $\frac{10}{10}$, $\frac{45}{50}$, $\frac{20}{50}$, $\frac{25}{50}$, $\frac{1}{2}$

④ $\frac{4}{4}$, $\frac{12}{12}$, $\frac{44}{48}$, $\frac{12}{48}$, $\frac{32}{48}$, $\frac{2}{3}$

① $\frac{3}{3}$, $\frac{8}{8}$, $\frac{15}{24}$, $\frac{8}{24}$, $\frac{7}{24}$

② $\frac{5}{5}$, $\frac{7}{7}$, $\frac{30}{35}$, $\frac{14}{35}$, $\frac{16}{35}$

③ $\frac{7}{7}$, $\frac{13}{13}$, $\frac{63}{91}$, $\frac{39}{91}$, $\frac{24}{91}$

④ $\frac{5}{5}$, $\frac{10}{10}$, $\frac{35}{50}$, $\frac{20}{50}$, $\frac{15}{50}$, $\frac{3}{10}$

⑤ $\frac{4}{4}$, $\frac{16}{16}$, $\frac{44}{64}$, $\frac{16}{64}$, $\frac{28}{64}$, $\frac{7}{16}$

⑥ $\frac{6}{6}$, $\frac{9}{9}$, $\frac{42}{54}$, $\frac{9}{54}$, $\frac{33}{54}$, $\frac{11}{18}$

⑦ $\frac{4}{4}$, $\frac{20}{20}$, $\frac{36}{80}$, $\frac{20}{80}$, $\frac{16}{80}$, $\frac{1}{5}$

① $\frac{13}{24}$　⑧ $\frac{7}{30}$　⑨ $\frac{7}{20}$

② $\frac{1}{8}$　③ $\frac{13}{30}$　⑩ $\frac{16}{45}$　⑪ $\frac{43}{132}$

④ $\frac{17}{30}$　⑤ $\frac{2}{21}$　⑫ $\frac{13}{100}$　⑬ $\frac{13}{32}$

⑥ $\frac{2}{15}$　⑦ $\frac{31}{60}$

① 3, 2, 3, 2, 1

② 2, 11, 6, 5

③ $\frac{4}{4}$, $\frac{3}{3}$, $\frac{20}{36}$, $\frac{15}{36}$, $\frac{5}{36}$

④ $\frac{3}{3}$, $\frac{9}{21}$, $\frac{4}{21}$, $\frac{5}{21}$

① $\frac{5}{5}$, $\frac{4}{4}$, $\frac{55}{60}$, $\frac{32}{60}$, $\frac{23}{60}$

② $\frac{2}{2}$, $\frac{5}{5}$, $\frac{26}{40}$, $\frac{15}{40}$, $\frac{11}{40}$

③ $\frac{5}{5}$, $\frac{19}{25}$, $\frac{15}{25}$, $\frac{4}{25}$

④ $\frac{5}{5}$, $\frac{4}{4}$, $\frac{15}{40}$, $\frac{12}{40}$, $\frac{3}{40}$

⑤ $\frac{2}{2}$, $\frac{9}{9}$, $\frac{78}{90}$, $\frac{9}{90}$, $\frac{69}{90}$, $\frac{23}{30}$

⑥ $\frac{3}{3}$, $\frac{17}{18}$, $\frac{15}{18}$, $\frac{2}{18}$, $\frac{1}{9}$

⑦ $\frac{3}{3}$, $\frac{2}{2}$, $\frac{39}{42}$, $\frac{32}{42}$, $\frac{7}{42}$, $\frac{1}{6}$

① $\frac{5}{9}$　⑧ $\frac{47}{72}$　⑨ $\frac{28}{45}$

② $\frac{11}{20}$　③ $\frac{1}{18}$　⑩ $\frac{11}{50}$　⑪ $\frac{23}{77}$

④ $\frac{7}{24}$　⑤ $\frac{1}{48}$　⑫ $\frac{23}{36}$　⑬ $\frac{23}{78}$

⑥ $\frac{19}{80}$　⑦ $\frac{1}{30}$

40쪽

① $1\frac{5}{12}$, $\frac{1}{12}$ ② $1\frac{5}{24}$, $\frac{1}{24}$

③ $1\frac{1}{3}$, $\frac{1}{3}$ ④ $1\frac{1}{12}$, $\frac{3}{4}$

⑤ $1\frac{1}{12}$, $\frac{7}{12}$ ⑥ $1\frac{19}{60}$, $\frac{1}{60}$

41쪽

① $\frac{21}{40}$ ③ $\frac{5}{8}$

② $1\frac{53}{80}$ ④ $\frac{59}{60}$

42쪽

① $\frac{13}{18}$ ③ $\frac{3}{20}$

② $\frac{3}{28}$ ④ $\frac{51}{140}$

3주차 - 도전! 계산왕

44쪽

① $1\frac{5}{9}$ ② $\frac{1}{10}$ ⑨ $1\frac{1}{15}$ ⑩ $\frac{7}{18}$

③ $1\frac{1}{15}$ ④ $\frac{5}{24}$ ⑪ $1\frac{11}{30}$ ⑫ $\frac{5}{42}$

⑤ $\frac{11}{14}$ ⑥ $\frac{7}{12}$ ⑬ $1\frac{19}{25}$ ⑭ $\frac{21}{110}$

⑦ $\frac{7}{9}$ ⑧ $\frac{13}{44}$

45쪽

① $\frac{9}{14}$ ② $\frac{1}{6}$ ⑨ $1\frac{31}{72}$ ⑩ $\frac{49}{120}$

③ $1\frac{1}{8}$ ④ $\frac{8}{35}$ ⑪ $\frac{79}{132}$ ⑫ $\frac{19}{48}$

⑤ $1\frac{21}{44}$ ⑥ $\frac{1}{3}$ ⑬ $1\frac{99}{280}$ ⑭ $\frac{7}{50}$

⑦ $1\frac{1}{60}$ ⑧ $\frac{13}{60}$

46쪽

① $\frac{15}{56}$ ② $\frac{1}{20}$ ⑨ $\frac{83}{110}$ ⑩ $\frac{24}{91}$

③ $\frac{5}{6}$ ④ $\frac{12}{77}$ ⑪ $\frac{49}{156}$ ⑫ $\frac{10}{27}$

⑤ $1\frac{11}{52}$ ⑥ $\frac{1}{9}$ ⑬ $1\frac{53}{180}$ ⑭ $\frac{19}{27}$

⑦ $\frac{62}{63}$ ⑧ $\frac{7}{34}$

47쪽

① $1\frac{1}{24}$ ② $\frac{4}{15}$ ⑨ $1\frac{37}{66}$ ⑩ $\frac{13}{30}$

③ $\frac{15}{28}$ ④ $\frac{3}{14}$ ⑪ $\frac{29}{48}$ ⑫ $\frac{3}{16}$

⑤ $\frac{15}{16}$ ⑥ $\frac{19}{36}$ ⑬ $\frac{41}{135}$ ⑭ $\frac{7}{60}$

⑦ $1\frac{5}{18}$ ⑧ $\frac{17}{65}$

48쪽

① $1\frac{3}{14}$ ② $\frac{1}{4}$ ⑨ $\frac{37}{60}$ ⑩ $\frac{37}{48}$

③ $1\frac{4}{15}$ ④ $\frac{11}{21}$ ⑪ $\frac{59}{84}$ ⑫ $\frac{7}{52}$

⑤ $1\frac{5}{36}$ ⑥ $\frac{3}{26}$ ⑬ $1\frac{1}{72}$ ⑭ $\frac{63}{110}$

⑦ $1\frac{25}{44}$ ⑧ $\frac{11}{36}$

49쪽

① $1\frac{1}{3}$ ② $\frac{13}{24}$ ⑨ $1\frac{9}{35}$ ⑩ $\frac{32}{105}$

③ $\frac{31}{40}$ ④ $\frac{5}{14}$ ⑪ $1\frac{19}{60}$ ⑫ $\frac{9}{80}$

⑤ $\frac{13}{18}$ ⑥ $\frac{13}{33}$ ⑬ $1\frac{39}{280}$ ⑭ $\frac{1}{42}$

⑦ $\frac{19}{30}$ ⑧ $\frac{5}{12}$

50쪽

① $1\frac{19}{40}$ ② $\frac{1}{18}$ ⑨ $\frac{13}{16}$ ⑩ $\frac{13}{36}$

③ $\frac{16}{21}$ ④ $\frac{19}{30}$ ⑪ $1\frac{7}{72}$ ⑫ $\frac{1}{210}$

⑤ $\frac{23}{40}$ ⑥ $\frac{1}{39}$ ⑬ $\frac{67}{96}$ ⑭ $\frac{17}{45}$

⑦ $\frac{25}{36}$ ⑧ $\frac{13}{35}$

51쪽

① $\frac{19}{45}$ ② $\frac{29}{42}$ ⑨ $1\frac{5}{16}$ ⑩ $\frac{17}{48}$

③ $1\frac{11}{42}$ ④ $\frac{1}{10}$ ⑪ $1\frac{7}{72}$ ⑫ $\frac{101}{240}$

⑤ $\frac{11}{20}$ ⑥ $\frac{5}{84}$ ⑬ $1\frac{35}{96}$ ⑭ $\frac{1}{10}$

⑦ $\frac{47}{84}$ ⑧ $\frac{11}{60}$

52쪽

① $1\frac{3}{10}$ ② $\frac{1}{2}$ ⑨ $1\frac{11}{18}$ ⑩ $\frac{19}{140}$

③ $\frac{11}{12}$ ④ $\frac{13}{30}$ ⑪ $1\frac{7}{72}$ ⑫ $\frac{31}{48}$

⑤ $\frac{34}{39}$ ⑥ $\frac{11}{26}$ ⑬ $\frac{59}{132}$ ⑭ $\frac{11}{42}$

⑦ $\frac{44}{45}$ ⑧ $\frac{5}{36}$

53쪽

① $1\frac{5}{24}$ ② $\frac{3}{10}$ ⑨ $1\frac{11}{30}$ ⑩ $\frac{23}{144}$

③ $1\frac{11}{36}$ ④ $\frac{8}{21}$ ⑪ $\frac{59}{112}$ ⑫ $\frac{10}{21}$

⑤ $\frac{83}{110}$ ⑥ $\frac{1}{24}$ ⑬ $\frac{83}{84}$ ⑭ $\frac{23}{72}$

⑦ $1\frac{19}{63}$ ⑧ $\frac{1}{26}$

56쪽

① 9, 4, 9, 4, 3, 13, $3\frac{13}{24}$

② 3, 7, 3, 7, 7, 10, $7\frac{10}{21}$

③ $\frac{4}{30}$, $\frac{9}{30}$, $\frac{4}{30}$, $\frac{9}{30}$, 8, $\frac{13}{30}$, $8\frac{13}{30}$

④ $\frac{3}{24}$, $\frac{10}{24}$, $\frac{3}{24}$, $\frac{10}{24}$, 4, $\frac{13}{24}$, $4\frac{13}{24}$

⑤ $\frac{6}{50}$, $\frac{5}{50}$, $\frac{6}{50}$, $\frac{5}{50}$, 5, $\frac{11}{50}$, $5\frac{11}{50}$

57쪽

① 27, 20, 4, 1, 11, $5\frac{11}{36}$

② 21, 10, 7, 1, 7, $8\frac{7}{24}$

③ $\frac{9}{15}$, $\frac{8}{15}$, 7, 1, $\frac{2}{15}$, $8\frac{2}{15}$

④ $\frac{13}{22}$, $\frac{12}{22}$, 8, 1, $\frac{3}{22}$, $9\frac{3}{22}$

⑤ $\frac{25}{90}$, $\frac{81}{90}$, 9, 1, $\frac{16}{90}$, $10\frac{8}{45}$

58쪽

① $7\frac{31}{60}$ ⑧ $7\frac{31}{48}$ ⑨ $6\frac{19}{24}$

② $9\frac{11}{24}$ ③ $2\frac{4}{9}$ ⑩ $8\frac{23}{70}$ ⑪ $7\frac{35}{66}$

④ $3\frac{1}{18}$ ⑤ $8\frac{25}{42}$ ⑫ $5\frac{47}{72}$ ⑬ $6\frac{11}{20}$

⑥ $8\frac{1}{2}$ ⑦ $6\frac{49}{50}$

59쪽

① 5, 11, 20, 11, 31, 3, 7

② 15, 13, 45, 26, 71, 5, 11

③ $\frac{5}{3}$, $\frac{12}{7}$, $\frac{35}{21}$, $\frac{36}{21}$, $\frac{71}{21}$, $3\frac{8}{21}$

④ $\frac{29}{6}$, $\frac{11}{3}$, $\frac{29}{6}$, $\frac{22}{6}$, $\frac{51}{6}$, $8\frac{1}{2}$

60쪽

① $\frac{5}{2}$, $\frac{7}{5}$, $\frac{25}{10}$, $\frac{14}{10}$, $\frac{39}{10}$, $3\frac{9}{10}$

② $\frac{9}{4}$, $\frac{6}{5}$, $\frac{45}{20}$, $\frac{24}{20}$, $\frac{69}{20}$, $3\frac{9}{20}$

③ $\frac{25}{6}$, $\frac{5}{3}$, $\frac{25}{6}$, $\frac{10}{6}$, $\frac{35}{6}$, $5\frac{5}{6}$

④ $\frac{13}{8}$, $\frac{11}{4}$, $\frac{13}{8}$, $\frac{22}{8}$, $\frac{35}{8}$, $4\frac{3}{8}$

⑤ $\frac{19}{12}$, $\frac{10}{3}$, $\frac{19}{12}$, $\frac{40}{12}$, $\frac{59}{12}$, $4\frac{11}{12}$

⑥ $\frac{13}{10}$, $\frac{2}{15}$, $\frac{39}{30}$, $\frac{4}{30}$, $\frac{43}{30}$, $1\frac{13}{30}$

⑦ $\frac{29}{20}$, $\frac{27}{10}$, $\frac{29}{20}$, $\frac{54}{20}$, $\frac{83}{20}$, $4\frac{3}{20}$

61쪽

① $10\frac{3}{20}$ ⑧ $7\frac{11}{20}$ ⑨ $13\frac{12}{35}$

② $4\frac{17}{18}$ ③ $9\frac{13}{24}$ ⑩ $7\frac{19}{45}$ ⑪ $4\frac{61}{96}$

④ $6\frac{7}{24}$ ⑤ $8\frac{9}{10}$ ⑫ $6\frac{37}{60}$ ⑬ $9\frac{17}{66}$

⑥ $2\frac{9}{14}$ ⑦ $7\frac{11}{20}$

62쪽

① 15, 4, 15, 4, 3, 11, $3\frac{11}{18}$

② 24, 7, 24, 7, 1, 17, $1\frac{17}{28}$

③ $\frac{27}{30}$, $\frac{25}{30}$, $\frac{27}{30}$, $\frac{25}{30}$, 1, $\frac{2}{30}$, $1\frac{1}{15}$

④ $\frac{44}{60}$, $\frac{21}{60}$, $\frac{44}{60}$, $\frac{21}{60}$, 6, $\frac{23}{60}$, $6\frac{23}{60}$

⑤ $\frac{16}{18}$, $\frac{3}{18}$, $\frac{16}{18}$, $\frac{3}{18}$, 3, $\frac{13}{18}$, $3\frac{13}{18}$

63쪽

① 4, 9, 4, 28, 9, $2\frac{19}{24}$

② 2, 6, 6, 11, 6, $3\frac{5}{9}$

③ $\frac{10}{24}$, $\frac{21}{24}$, 2, $\frac{34}{24}$, $\frac{21}{24}$, $2\frac{13}{24}$

④ $\frac{6}{21}$, $\frac{14}{21}$, 2, $\frac{27}{21}$, 1, $\frac{14}{21}$, $1\frac{13}{21}$

⑤ $\frac{3}{10}$, $\frac{6}{10}$, 6, $\frac{13}{10}$, 4, $\frac{6}{10}$, $2\frac{7}{10}$

64쪽

① $4\frac{5}{9}$ ⑧ $1\frac{17}{42}$ ⑨ $8\frac{1}{54}$

② $5\frac{8}{15}$ ③ $3\frac{11}{20}$ ⑩ $4\frac{7}{22}$ ⑪ $4\frac{67}{80}$

④ $8\frac{11}{24}$ ⑤ $\frac{6}{7}$ ⑫ $7\frac{17}{72}$ ⑬ $5\frac{37}{100}$

⑥ $1\frac{7}{10}$ ⑦ $1\frac{9}{14}$

① 16, 12, 80, 36, 44, $2\frac{14}{15}$

② 65, 15, 65, 45, 20, $1\frac{2}{3}$

③ $\frac{11}{4}$, $\frac{3}{10}$, $\frac{55}{20}$, $\frac{6}{20}$, $\frac{49}{20}$, $2\frac{9}{20}$

④ $\frac{49}{15}$, $\frac{6}{5}$, $\frac{49}{15}$, $\frac{18}{15}$, $\frac{31}{15}$, $2\frac{1}{15}$

① $\frac{19}{4}$, $\frac{17}{8}$, $\frac{38}{8}$, $\frac{17}{8}$, $\frac{21}{8}$, $2\frac{5}{8}$

② $\frac{13}{2}$, $\frac{17}{5}$, $\frac{65}{10}$, $\frac{34}{10}$, $\frac{31}{10}$, $3\frac{1}{10}$

③ $\frac{19}{6}$, $\frac{1}{2}$, $\frac{19}{6}$, $\frac{3}{6}$, $\frac{16}{6}$, $2\frac{2}{3}$

④ $\frac{49}{6}$, $\frac{31}{12}$, $\frac{98}{12}$, $\frac{31}{12}$, $\frac{67}{12}$, $5\frac{7}{12}$

⑤ $\frac{59}{10}$, $\frac{7}{2}$, $\frac{59}{10}$, $\frac{35}{10}$, $\frac{24}{10}$, $2\frac{2}{5}$

⑥ $\frac{50}{21}$, $\frac{8}{7}$, $\frac{50}{21}$, $\frac{24}{21}$, $\frac{26}{21}$, $1\frac{5}{21}$

⑦ $\frac{73}{16}$, $\frac{23}{8}$, $\frac{73}{16}$, $\frac{46}{16}$, $\frac{27}{16}$, $1\frac{11}{16}$

① $5\frac{1}{21}$

② $4\frac{11}{14}$ ③ $4\frac{5}{24}$

④ $4\frac{1}{12}$ ⑤ $2\frac{1}{30}$

⑥ $3\frac{4}{45}$ ⑦ $1\frac{7}{18}$

⑧ $6\frac{9}{10}$ ⑨ $\frac{5}{6}$

⑩ $\frac{17}{18}$ ⑪ $6\frac{9}{10}$

⑫ $4\frac{4}{15}$ ⑬ $5\frac{19}{48}$

① $8\frac{3}{16}$, $3\frac{9}{16}$ ② $5\frac{23}{40}$, $1\frac{13}{40}$

③ $7\frac{7}{12}$, $1\frac{1}{12}$ ④ $12\frac{1}{2}$, $2\frac{7}{10}$

⑤ $5\frac{10}{63}$, $2\frac{17}{63}$ ⑥ $9\frac{19}{20}$, $5\frac{7}{60}$

① $9\frac{1}{24}$ ③ $9\frac{11}{24}$

② $2\frac{2}{15}$ ④ $4\frac{13}{21}$

① $2\frac{79}{132}$ ③ $1\frac{19}{30}$

② $4\frac{43}{96}$ ④ $4\frac{27}{80}$

5주차 - 세 분수의 덧셈과 뺄셈

① 3, 2, 1, 3, 8, 11

② $\frac{5}{8}$, $\frac{2}{8}$, $\frac{3}{8}$, $\frac{9}{24}$, $\frac{4}{24}$, $\frac{5}{24}$

③ $\frac{10}{12}$, $\frac{3}{12}$, $\frac{7}{12}$, $\frac{14}{24}$, $\frac{9}{24}$, $\frac{23}{24}$

④ $\frac{3}{6}$, $\frac{2}{6}$, $\frac{5}{6}$, $\frac{10}{12}$, $\frac{3}{12}$, $\frac{7}{12}$

⑤ $\frac{2}{10}$, $\frac{5}{10}$, $\frac{7}{10}$, $\frac{16}{10}$, $1\frac{3}{5}$

① 9, 2, 4, 9, 2, 4, 7

② $\frac{22}{24}$, $\frac{8}{24}$, $\frac{9}{24}$, $\frac{22,8,9}{24}$, $\frac{23}{24}$

③ $\frac{12}{18}$, $\frac{3}{18}$, $\frac{14}{18}$, $\frac{12,3,14}{18}$, $\frac{23}{18}$, $1\frac{5}{18}$

④ $\frac{18}{20}$, $\frac{8}{20}$, $\frac{5}{20}$, $\frac{18,8,5}{20}$, $\frac{5}{20}$, $\frac{1}{4}$

⑤ $\frac{15}{30}$, $\frac{10}{30}$, $\frac{12}{30}$, $\frac{15,10,12}{30}$, $\frac{37}{30}$, $1\frac{7}{30}$

① $\frac{2}{9}$ ⑧ $\frac{4}{15}$ ⑨ $\frac{1}{4}$

② $\frac{1}{7}$ ③ $\frac{9}{20}$ ⑩ $1\frac{13}{30}$ ⑪ $\frac{31}{90}$

④ $\frac{25}{42}$ ⑤ $\frac{13}{16}$ ⑫ $1\frac{1}{40}$ ⑬ $\frac{17}{100}$

⑥ $1\frac{1}{24}$ ⑦ $\frac{7}{10}$

① $7\frac{1}{8}$ ④ $4\frac{13}{15}$ ⑤ $5\frac{5}{8}$

② $3\frac{17}{18}$ ③ $3\frac{1}{12}$ ⑥ $6\frac{3}{4}$ ⑦ $5\frac{37}{40}$

① $9\frac{7}{20}$ ② $4\frac{3}{8}$ ⑨ $2\frac{23}{30}$ ⑩ $1\frac{11}{18}$

③ $3\frac{8}{9}$ ④ $8\frac{43}{60}$ ⑪ $8\frac{13}{42}$ ⑫ $4\frac{3}{4}$

⑤ $4\frac{19}{40}$ ⑥ 4 ⑬ $1\frac{17}{18}$ ⑭ $8\frac{4}{5}$

⑦ $8\frac{65}{66}$ ⑧ $6\frac{9}{10}$

77쪽

① $1\frac{13}{18}$ ② $2\frac{7}{24}$ ⑨ $2\frac{5}{6}$ ⑩ $3\frac{1}{12}$

③ $\frac{1}{12}$ ④ $1\frac{19}{60}$ ⑪ $\frac{2}{15}$ ⑫ $1\frac{31}{63}$

⑤ 2 ⑥ $4\frac{3}{8}$ ⑬ $1\frac{109}{120}$ ⑭ $2\frac{41}{90}$

⑦ $4\frac{13}{20}$ ⑧ $\frac{49}{60}$

78쪽

① $\frac{17}{20}$ ③ $1\frac{1}{36}$

② $\frac{7}{60}$ ④ $1\frac{1}{2}$

79쪽

① $\frac{14}{15}$ ③ $1\frac{1}{18}$

② $6\frac{33}{40}$ ④ $6\frac{9}{16}$

80쪽

① $\frac{1}{5}$ ② $\frac{1}{2}$ ③ $\frac{4}{5}$

④ $1\frac{2}{5}$ ⑤ $2\frac{1}{2}$ ⑥ $3\frac{1}{5}$

⑦ $1\frac{1}{2}$ ⑧ $3\frac{1}{10}$ ⑨ $3\frac{3}{5}$

⑩ $\frac{3}{4}$ ⑪ $\frac{9}{20}$ ⑫ $\frac{17}{20}$

⑬ $1\frac{1}{4}$ ⑭ $2\frac{7}{20}$ ⑮ $4\frac{17}{25}$

⑯ $3\frac{9}{25}$ ⑰ $1\frac{19}{25}$ ⑱ $2\frac{1}{25}$

81쪽

① $2, 1, \frac{4}{5}$ ③ $25, 1, 3\frac{7}{8}$

② $6, 3, 4\frac{1}{10}$ ④ $5, 1, 3\frac{5}{14}$

82쪽

① $\frac{1}{8}$ ⑧ $6\frac{1}{10}$ ⑨ $3\frac{3}{4}$

② $1\frac{1}{10}$ ③ $\frac{7}{20}$ ⑩ $5\frac{1}{3}$ ⑪ $6\frac{1}{4}$

④ $1\frac{2}{3}$ ⑤ $\frac{1}{4}$ ⑫ $7\frac{7}{50}$ ⑬ $2\frac{5}{8}$

⑥ $\frac{37}{40}$ ⑦ $\frac{9}{20}$

83쪽

① $\frac{5}{8}$ ② $\frac{19}{20}$ ⑦ $4\frac{1}{5}$ ⑧ $4\frac{4}{9}$

③ $\frac{2}{3}$ ④ $\frac{1}{8}$ ⑨ $2\frac{29}{40}$ ⑩ $\frac{3}{5}$

⑤ $1\frac{7}{20}$ ⑥ $9\frac{1}{3}$

84쪽

① $\frac{11}{20}$ ⑧ $9\frac{11}{12}$ ⑨ $\frac{17}{60}$

② $\frac{23}{24}$ ③ $\frac{2}{5}$ ⑩ $4\frac{1}{30}$ ⑪ $1\frac{8}{25}$

④ $\frac{1}{2}$ ⑤ $\frac{31}{40}$ ⑫ $3\frac{39}{40}$ ⑬ $4\frac{25}{28}$

⑥ $1\frac{7}{12}$ ⑦ $\frac{3}{5}$

86쪽

① $4\frac{3}{20}$ ② $2\frac{1}{12}$ ⑨ $5\frac{41}{45}$ ⑩ $1\frac{121}{150}$

③ $5\frac{1}{2}$ ④ $4\frac{1}{3}$ ⑪ $8\frac{23}{30}$ ⑫ $1\frac{1}{3}$

⑤ $7\frac{27}{28}$ ⑥ $3\frac{6}{35}$ ⑬ $5\frac{67}{72}$ ⑭ $\frac{19}{28}$

⑦ $5\frac{1}{22}$ ⑧ $3\frac{13}{44}$

87쪽

① $4\frac{1}{18}$ ② $2\frac{19}{30}$ ⑨ $4\frac{43}{72}$ ⑩ $1\frac{79}{84}$

③ $6\frac{2}{15}$ ④ $1\frac{9}{10}$ ⑪ $4\frac{1}{3}$ ⑫ $5\frac{77}{120}$

⑤ $6\frac{31}{63}$ ⑥ $\frac{44}{105}$ ⑬ $7\frac{31}{40}$ ⑭ $1\frac{35}{36}$

⑦ $5\frac{47}{70}$ ⑧ $2\frac{11}{15}$

88쪽

① $7\frac{1}{12}$ ② $2\frac{29}{42}$ ⑨ $3\frac{23}{240}$ ⑩ $2\frac{17}{126}$

③ $2\frac{53}{63}$ ④ $3\frac{23}{30}$ ⑪ $9\frac{1}{3}$ ⑫ $3\frac{19}{28}$

⑤ $8\frac{17}{18}$ ⑥ $2\frac{3}{10}$ ⑬ $3\frac{101}{120}$ ⑭ $1\frac{1}{2}$

⑦ $5\frac{11}{84}$ ⑧ $3\frac{63}{88}$

89쪽

① $6\frac{37}{40}$ ② $1\frac{2}{3}$ ⑨ $7\frac{31}{120}$ ⑩ $1\frac{19}{39}$

③ $9\frac{24}{35}$ ④ $3\frac{38}{63}$ ⑪ $4\frac{5}{12}$ ⑫ $4\frac{13}{60}$

⑤ $2\frac{41}{45}$ ⑥ $3\frac{33}{35}$ ⑬ $8\frac{31}{120}$ ⑭ 4

⑦ $9\frac{11}{78}$ ⑧ $2\frac{7}{15}$

90쪽

① $4\frac{1}{14}$ ② $1\frac{5}{18}$ ⑨ $5\frac{7}{18}$ ⑩ $3\frac{5}{12}$

③ $4\frac{5}{6}$ ④ $1\frac{17}{45}$ ⑪ $9\frac{1}{6}$ ⑫ $\frac{1}{36}$

⑤ $8\frac{1}{40}$ ⑥ $3\frac{9}{40}$ ⑬ $5\frac{7}{18}$ ⑭ $1\frac{2}{3}$

⑦ $6\frac{80}{91}$ ⑧ $4\frac{45}{56}$

91쪽

① $3\frac{13}{21}$ ② $1\frac{5}{12}$ ⑨ $4\frac{44}{105}$ ⑩ $2\frac{5}{12}$

③ $4\frac{29}{30}$ ④ $4\frac{19}{40}$ ⑪ $6\frac{13}{60}$ ⑫ $6\frac{1}{2}$

⑤ $8\frac{3}{55}$ ⑥ $2\frac{7}{24}$ ⑬ $2\frac{10}{11}$ ⑭ $1\frac{13}{32}$

⑦ $6\frac{5}{18}$ ⑧ $3\frac{51}{56}$

92쪽

① $3\frac{13}{40}$ ② $2\frac{3}{28}$ ⑨ $4\frac{14}{15}$ ⑩ $2\frac{4}{15}$

③ $8\frac{7}{36}$ ④ $2\frac{11}{45}$ ⑪ $6\frac{17}{24}$ ⑫ $5\frac{53}{63}$

⑤ $8\frac{1}{24}$ ⑥ $4\frac{50}{99}$ ⑬ $2\frac{25}{36}$ ⑭ $3\frac{27}{112}$

⑦ $6\frac{72}{77}$ ⑧ $3\frac{43}{117}$

93쪽

① $4\frac{11}{15}$ ② $2\frac{17}{24}$ ⑨ $4\frac{43}{60}$ ⑩ $\frac{51}{56}$

③ $5\frac{11}{60}$ ④ $2\frac{9}{10}$ ⑪ $5\frac{13}{30}$ ⑫ $4\frac{14}{45}$

⑤ $3\frac{3}{4}$ ⑥ $2\frac{6}{35}$ ⑬ $6\frac{5}{12}$ ⑭ $1\frac{5}{42}$

⑦ $7\frac{32}{45}$ ⑧ $3\frac{13}{120}$

94쪽

① $6\frac{19}{30}$ ② $2\frac{9}{14}$ ⑨ $3\frac{127}{132}$ ⑩ $2\frac{86}{105}$

③ $4\frac{1}{20}$ ④ $3\frac{7}{18}$ ⑪ $4\frac{75}{112}$ ⑫ $1\frac{25}{48}$

⑤ $3\frac{83}{84}$ ⑥ $1\frac{7}{10}$ ⑬ $3\frac{59}{90}$ ⑭ $\frac{17}{240}$

⑦ $5\frac{29}{110}$ ⑧ $4\frac{13}{30}$

95쪽

① $6\frac{9}{40}$ ② $2\frac{7}{40}$ ⑨ $6\frac{1}{21}$ ⑩ $1\frac{23}{36}$

③ $4\frac{5}{24}$ ④ $1\frac{7}{15}$ ⑪ $5\frac{11}{24}$ ⑫ $5\frac{3}{10}$

⑤ $6\frac{47}{99}$ ⑥ $3\frac{21}{55}$ ⑬ $6\frac{59}{90}$ ⑭ $\frac{65}{72}$

⑦ $3\frac{13}{40}$ ⑧ $4\frac{13}{14}$

총괄 테스트 〔정답〕

3권 분모가 다른 분수의 덧셈과 뺄셈 〔점수〕

01 기약분수에 모두 ○표 하세요.

(1/4)　(5/16)　(7/18)　4/16　7/35　(11/18)

02 두 분모의 최소공배수를 공통분모로 하여 통분하세요.

① $\left(\dfrac{4}{3},\dfrac{3}{4}\right) \rightarrow \dfrac{16}{12},\dfrac{9}{12}$

② $\left(\dfrac{3}{7},\dfrac{5}{8}\right) \rightarrow \dfrac{24}{56},\dfrac{35}{56}$

③ $\left(\dfrac{3}{10},\dfrac{5}{12}\right) \rightarrow \dfrac{18}{60},\dfrac{25}{60}$

④ $\left(\dfrac{2}{11},\dfrac{5}{6}\right) \rightarrow \dfrac{12}{66},\dfrac{55}{66}$

03 두 분모의 최소공배수로 통분하여 덧셈을 계산하려고 합니다. □에 알맞은 수를 써넣으세요.

① $\dfrac{5}{8}+\dfrac{1}{6}=\dfrac{5\times3}{8\times3}+\dfrac{1\times4}{6\times4}=\dfrac{15}{24}+\dfrac{4}{24}=\dfrac{19}{24}$

② $\dfrac{2}{3}+\dfrac{1}{5}=\dfrac{2\times5}{3\times5}+\dfrac{1\times3}{5\times3}=\dfrac{10}{15}+\dfrac{3}{15}=\dfrac{13}{15}$

04 분수의 덧셈을 계산하세요.

① $\dfrac{6}{7}+\dfrac{1}{2}=1\dfrac{5}{14}$

② $\dfrac{2}{3}+\dfrac{7}{10}=1\dfrac{11}{30}$

③ $\dfrac{3}{10}+\dfrac{5}{8}=\dfrac{37}{40}$

④ $\dfrac{3}{4}+\dfrac{5}{12}=1\dfrac{1}{6}$

05 분수의 뺄셈을 계산하세요.

① $\dfrac{7}{9}-\dfrac{1}{3}=\dfrac{4}{9}$

② $\dfrac{4}{5}-\dfrac{3}{11}=\dfrac{29}{55}$

③ $\dfrac{5}{12}-\dfrac{2}{7}=\dfrac{11}{84}$

④ $\dfrac{7}{15}-\dfrac{1}{6}=\dfrac{3}{10}$

06 대분수를 모두 가분수로 바꾸어 덧셈을 계산하려고 합니다. □에 알맞은 수를 써넣으세요.

① $2\dfrac{1}{3}+3\dfrac{5}{6}=\dfrac{7}{3}+\dfrac{23}{6}=\dfrac{14}{6}+\dfrac{23}{6}=\dfrac{37}{6}=6\dfrac{1}{6}$

② $5\dfrac{3}{4}+4\dfrac{5}{12}=\dfrac{23}{4}+\dfrac{69}{12}=\dfrac{14}{12}+\dfrac{69}{12}=\dfrac{125}{12}=10\dfrac{5}{12}$

07 대분수를 모두 가분수로 바꾸어 뺄셈을 계산하려고 합니다. □에 알맞은 수를 써넣으세요.

① $6\dfrac{1}{3}-4\dfrac{3}{4}=\dfrac{20}{3}-\dfrac{19}{4}=\dfrac{80}{12}-\dfrac{57}{12}=\dfrac{23}{12}=1\dfrac{11}{12}$

② $7\dfrac{3}{8}-3\dfrac{1}{2}=\dfrac{59}{8}-\dfrac{7}{2}=\dfrac{59}{8}-\dfrac{28}{8}=\dfrac{31}{8}=3\dfrac{7}{8}$

08 계산을 하세요.

① $2\dfrac{3}{4}+1\dfrac{2}{15}=4\dfrac{3}{20}$

② $7\dfrac{5}{9}-3\dfrac{7}{8}=3\dfrac{49}{72}$

③ $5\dfrac{1}{4}+7\dfrac{7}{8}=12\dfrac{43}{44}$

④ $7\dfrac{2}{9}-4\dfrac{5}{12}=2\dfrac{29}{36}$

09 계산을 하여 기분수로 나타내세요.

① $\dfrac{3}{4}+1\dfrac{2}{5}+0.25=2\dfrac{2}{5}$

② $\dfrac{5}{7}-\dfrac{3}{5}+0.2=\dfrac{11}{35}$

③ $4\dfrac{7}{8}-3\dfrac{1}{4}-0.75=2\dfrac{3}{8}$

④ $\dfrac{4}{5}-0.44+1\dfrac{3}{20}=1\dfrac{51}{100}$

10 계산을 하세요.

① $3\dfrac{3}{5}+2\dfrac{4}{7}+1\dfrac{5}{6}=8\dfrac{1}{210}$

② $5\dfrac{1}{2}-2\dfrac{5}{12}+3\dfrac{1}{4}=6\dfrac{5}{6}$

③ $4\dfrac{7}{15}-2\dfrac{4}{5}+3\dfrac{1}{3}=5$

총괄 테스트

11 기약분수에 모두 ○표 하세요.

6/8　6/13　9/15　(3/4)　(9/16)　21/35

12 두 분모의 최소공배수를 공통분모로 하여 통분하세요.

① $\left(\dfrac{7}{8},\dfrac{1}{4}\right) \rightarrow \dfrac{7}{8},\dfrac{2}{8}$

② $\left(\dfrac{4}{15},\dfrac{5}{12}\right) \rightarrow \dfrac{16}{60},\dfrac{25}{60}$

③ $\left(\dfrac{7}{12},\dfrac{11}{18}\right) \rightarrow \dfrac{21}{36},\dfrac{22}{36}$

④ $\left(\dfrac{5}{11},\dfrac{3}{5}\right) \rightarrow \dfrac{25}{55},\dfrac{33}{55}$

13 두 분모의 최소공배수로 통분하여 덧셈을 계산하려고 합니다. □에 알맞은 수를 써넣으세요.

① $\dfrac{1}{7}+\dfrac{4}{5}=\dfrac{1\times5}{7\times5}+\dfrac{4\times7}{5\times7}=\dfrac{5}{35}+\dfrac{28}{35}=\dfrac{33}{35}$

② $\dfrac{2}{9}+\dfrac{3}{7}=\dfrac{2\times7}{9\times7}+\dfrac{3\times9}{7\times9}=\dfrac{14}{63}+\dfrac{27}{63}=\dfrac{41}{63}$

14 분수의 덧셈을 계산하세요.

① $\dfrac{7}{8}+\dfrac{9}{9}=1\dfrac{31}{72}$

② $\dfrac{4}{5}+\dfrac{8}{15}=1\dfrac{1}{3}$

③ $\dfrac{7}{8}+\dfrac{11}{18}=1\dfrac{35}{72}$

④ $\dfrac{7}{20}+\dfrac{3}{8}=\dfrac{29}{40}$

15 분수의 뺄셈을 계산하세요.

① $\dfrac{7}{8}-\dfrac{1}{4}=\dfrac{5}{8}$

② $\dfrac{2}{3}-\dfrac{3}{20}=\dfrac{31}{60}$

③ $\dfrac{11}{15}-\dfrac{4}{9}=\dfrac{13}{45}$

④ $\dfrac{29}{30}-\dfrac{5}{6}=\dfrac{2}{15}$

16 대분수를 모두 가분수로 바꾸어 덧셈을 계산하려고 합니다. □에 알맞은 수를 써넣으세요.

① $9\dfrac{7}{8}+4\dfrac{1}{2}=\dfrac{79}{8}+\dfrac{9}{2}=\dfrac{79}{8}+\dfrac{36}{8}=\dfrac{115}{8}=14\dfrac{3}{8}$

② $3\dfrac{2}{7}+2\dfrac{1}{4}=\dfrac{23}{7}+\dfrac{9}{4}=\dfrac{92}{28}+\dfrac{63}{28}=\dfrac{155}{28}=5\dfrac{15}{28}$

17 대분수를 모두 가분수로 바꾸어 뺄셈을 계산하려고 합니다. □에 알맞은 수를 써넣으세요.

① $4\dfrac{1}{3}-3\dfrac{1}{4}=\dfrac{13}{3}-\dfrac{13}{4}=\dfrac{52}{12}-\dfrac{39}{12}=\dfrac{13}{12}=1\dfrac{1}{12}$

② $6\dfrac{3}{7}-2\dfrac{1}{2}=\dfrac{45}{7}-\dfrac{5}{2}=\dfrac{90}{14}-\dfrac{35}{14}=\dfrac{55}{14}=3\dfrac{13}{14}$

18 계산을 하세요.

① $9\dfrac{5}{7}+3\dfrac{3}{5}=12\dfrac{29}{35}$

② $9\dfrac{4}{9}-2\dfrac{1}{6}=7\dfrac{5}{18}$

③ $4\dfrac{3}{8}+8\dfrac{5}{12}=12\dfrac{3}{4}$

④ $5\dfrac{5}{9}-2\dfrac{4}{15}=3\dfrac{13}{45}$

19 계산을 하여 기분수로 나타내세요.

① $\dfrac{5}{9}+2\dfrac{1}{3}+0.4=3\dfrac{13}{45}$

② $\dfrac{7}{9}-\dfrac{3}{5}+0.3=\dfrac{43}{90}$

③ $4\dfrac{2}{4}-2\dfrac{1}{4}+0.25=2\dfrac{2}{5}$

④ $\dfrac{3}{4}-0.66+1\dfrac{17}{25}=1\dfrac{77}{100}$

20 계산을 하세요.

① $5\dfrac{3}{5}+3\dfrac{3}{4}+2\dfrac{3}{7}=11\dfrac{17}{28}$

② $8\dfrac{5}{8}-4\dfrac{5}{18}+2\dfrac{5}{6}=7$

③ $7\dfrac{5}{20}-3\dfrac{3}{4}+2\dfrac{1}{5}=3\dfrac{4}{5}$

초등 | 수학 전문가가
만든 연산 교재
원리샘

원리
이해

다양한
계산 방법

충분한
연습

성취도
확인

그 많은 문제를 풀고도 몰랐던

초등 사고력 수학의 원리 1
초등 사고력 수학의 전략 2

● 초등 사고력 수학의 원리 1

원리는 수학의 시작

● 초등 사고력 수학의 전략 2

문제해결은 수학의 끝

✓ **진정한 수학 실력은** 원리의 이해와 문제 해결 전략에서 나온다.

✓ **수학의 시작과 끝을** 제대로 알고 수학 실력 올리자!

✓ **재미있게 읽을 수 있는** 17년 초등 사고력 수학의 노하우

천종현수학연구소의 교재 흐름도

4세	5세	6세	7세	초1	

유아 자신감 수학 : 유아 수학 입문서
- 처음에는 엄마, 아빠와 함께, 나중에는 아이 스스로
- 개념의 이해부터 적용까지

유아 자신감 수학 만 3세 / 유아 자신감 수학 만 4세 / 유아 자신감 수학 만 5세

원리셈 : 기본 연산 학습서
- 매일 10분씩 원리로부터 실력까지 연산의 완성!!
- 다양한 형태의 문제와 충분한 연습으로 쉽고 재미있게

키즈 원리셈 5, 6세 / 키즈 원리셈 6, 7세 / 키즈 원리셈 예비 초등 7, 8세 / 초등 원리셈 초등1

TOP사고력 : 사고력 수학의 으뜸
- 수학적 직관력 / 문제 이해력 기르기
- 영역별 나선형식 반복 학습 구조

탑사고력 K 단계 / 탑사고력 P 단계 / 탑사고력 A 단계

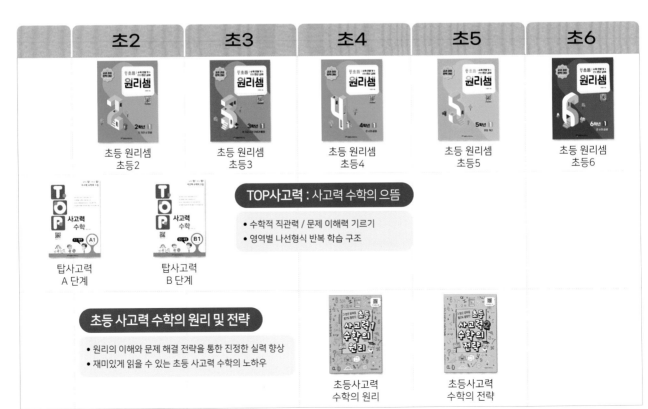

초2	초3	초4	초5	초6

초등 원리셈 초등2 / 초등 원리셈 초등3 / 초등 원리셈 초등4 / 초등 원리셈 초등5 / 초등 원리셈 초등6

TOP사고력 : 사고력 수학의 으뜸
- 수학적 직관력 / 문제 이해력 기르기
- 영역별 나선형식 반복 학습 구조

탑사고력 A 단계 / 탑사고력 B 단계

초등 사고력 수학의 원리 및 전략
- 원리의 이해와 문제 해결 전략을 통한 진정한 실력 향상
- 재미있게 읽을 수 있는 초등 사고력 수학의 노하우

초등사고력 수학의 원리 / 초등사고력 수학의 전략